Manatu Melie 3

Flying Foxes Along the Boulevard

Tau'anga Peka 'oe Hala Po'uliva'ati'

Sione Tapani Mangisi

Copyright

Flying Foxes Along the Boulevard

Tau'anga Peka 'oe Hala Po'uliva'ati'

By Sione Tapani Mangisi

Published by Puletau Publishing, Melbourne, 2021.

Copyright © 2021 John T Mangisi

Design: Irene Webley

Drawings by Elizabeth Paris Cocker

Beta Reader: Mele Lolini Fifita Thompson

ISBN 978-0-6488850-5-4

Dedication

Koe Foaki

Commitment and Hard Work

Tukupā moe Ngāue Mālohi

This book MM3 is dedicated to Sione Tapani Talo Tupoumālohi of Ha'avakatolo, my grandfather and namesake.

Koe tohi ko eni koe MM3 'oku foaki ia koe manatu 'ofa kia Sione Tapani Talo Tupoumālohi, ko 'eku kui' ia , pea koia 'oku fakahingoa au kiai'.

In the late 1950s when I was a small boy, Tapani lahi was getting on a bit and my dad would ask me to visit him at his place in Ha'avakatolo to see if he needed anything and that he was all right.

'Ihe 1950 tupu' 'ihe 'eku kei si'i', kuo fu'u toulekeleka 'a Tapani lahi pea na'e fa'a talamai 'ehe 'eku tamai', keu 'alu ki Ha'avakatolo 'o vakai pe 'oku fēfē 'ae tangata'eiki' mo fai ha'ane pu'i.

Our interactions would be only for 2-3 years before he sadly passed away. And in that short time, I would visit him only once a week at most and only for a couple of hours or so each time.

Ko 'ema feohi' na'e taimi nounou, mahalo koe ta'u 'e 2-3 nai pea ne mālōlō. Na'aku 'alu ki ai fakauike pea mahalo ki ha houa pe 'e ua he 'aho.

I really did not know him well at all, but I dedicate this MM3 to him as a tribute for what he did for his family, and his village Ha'avakatolo in particular.

Na'e 'ikai kema fu'u maheni ka 'oku ou fakatapui 'ae tohi ko ení MM3 koe fakamanatu 'o 'ene ngāhi ngāue tōtōivi ma'a hono ki'i famili' pea mo hono kolo' foki ko Ha'avakatolo.

Contents

Koe Hokohoko

Illustrations
Ngāhi Fakatātā moe 'Imisi'

Illustrations used in this book are drawn from three main sources: family photographs, drawings by our illustrator, Elizabeth Cocker, and from **Canva**.

Koe ngāhi fakatātā moe 'imisi 'oku hā atu 'ihe tohi ni na'e ma'u ia meihe feitu'u 'e tolu: ngāhi tā 'ae famili', ngāhi tā valivali 'a 'Ilisapesi Koka pea moe **Keniva'**.

In addition we have used open source images found through **Look and Learn**. We have specified the sources for each of these images.

Koe ngāhi 'imisi e ni'ihi na'e ma'u ia meihe **Look and Learn**. Vakai ki he fakamatala fekau'aki moe ngāhi 'imisi'.

Sources for all images are specified in the captions associated with them.

Koe 'imisi kotoape 'oku fakahā ai 'e feitu'u na'e ma'u mei ai'.

There is one exception, where we have a copy of a drawing but have been unable to find its source. This is the first illustration in Part 1. Our drawing is titled: **1950's Postcard: The Flying Foxes hang on the Toa Trees at Kolovai, Hihifo, Tonga.** This was found as a framed picture in a local opportunity shop. We have searched widely online to find its source but without success. If this photograph belongs to you, please advise us.

Koe fo'i tā 'e taha na'e 'ikai kemau 'ilo'i 'ae tokotaha 'oku 'a'ana'. Koe 'uluaki fo'i tā eni 'oe Konga 1, **Pousikāti 1950: Tau'anga Peka 'ihe 'ulu toa 'i Kolovai, Hihifo, Tonga.** Na'e ma'u eni mei he ki'i fale koloa ofi pe heni. Na'amau fekumi 'ihe ope' pe kohai 'oku 'a'ana', kae 'ikai ola lelei. Kataki 'o fetu'utaki mai kapau koho'o pousikāti eni ketau talanoa kiai.

The Manatu Melie Series

Koe 'Uuni tohi Manatu Melie'

This is the third book in the **Manatu Melie** series that began with *Marbles and Mangoes*, followed by *Slates and Ghosts*.

Ko hono tolu 'aki eni 'oe 'uuni tohi Manatu Melie' 'a ia na'e kamata'aki 'ae *Mapu moe Mango'*, pea moe *Makatohi moe Tēvolo'*.

Those people who have read these stories will know that I began writing with two ideas in mind. To share my own stories about growing up in Tonga with the hope of encouraging other Tongans to do the same. And to foster and promote the use of the Tongan language especially among the young whose opportunities to learn and use it seem to be diminishing rapidly.

Ko kimoutolu na'amou lau 'ae ongo tohi', na'e ua 'ae taumu'a'. Koe vahevahe talanoa ki he 'eku tupu hake 'i Tonga' moe faka'amu tene fakalotolahi'i koe keke tohi ho'o fo'i talanoa'. Pea mo tu'uaki mo faka'ai'ai 'ae ngāue 'aki 'o 'etau lea fakaTonga', tautautefito kia kinautolu 'oku si'isi'iange honau faingamālie kenau lea fakaTonga ai'.

This book about Flying Foxes began from those same two ideas. But in the process of writing and compiling these stories it became clear to me that hidden amongst our ordinary experiences are important questions about our traditions and our history, particularly before the arrival of Christianity.

Koe tohi koeni' ki he Tau'anga Peka' 'oku sipinga tatau pe. Ka na'e ata mai moe me'a fo'ou fekau'aki mo hotau hisitōlia' mo hotau tala fakafonua' kimu'a pea toki hake mai 'ae lotu' ki hotau fonua'.

I've had fun thinking about these things and hope that as you read my stories those of you with deep knowledge of Tonga will uncover your own questions and answer some of mine too perhaps. Younger readers, I hope you will be encouraged to embark on your own searches. This is truly a grand treasure hunt.

Na'aku fiefia ko 'eku ako e ngāhi me'a lahi moe ngāhi fehu'i fo'ou, pea ko kimoutolu 'oku loloto ange ho'omou 'ilo fakaTonga', 'i ho'omou lau 'a 'eku ngāhi talanoa', mahalo temou lava ke solova ai ha'amou ngāhi fehu'i, pe koe vete 'eku ngāhi fifili'. Pea ko kimoutolu toki kamata' koe faingamālie eni kemou to'o fohe ai.

Part 1: Flying Foxes at Kolovai

Konga 1: Tau'anga Peka 'i Kolovai'

Anybody in Tonga will tell you that flying foxes, *peka*, live at Kolovai in Hihifo. Some might add Pelehake in the eastern district if they are very knowledgeable.

'E talaatu 'eha taha pe 'i Tonga koe tau'anga peka' 'oku tu'u 'i Kolovai, Hihifo. 'E iai moe ni'ihi tenau talaatu 'oku 'iai moe taunga peka 'e taha 'i Pelehake kapua 'oku nau 'ilo'i.

You see them everywhere circling high in the sky at dusk. But their home, where they go in the daytime to sleep, is at Kolovai, which is the main village of the Hihifo district.

'Oku te sio pe ki he 'enau puna takai holo he taimi efiafi'. Ka ko honau tau'anga' 'oku nau fakapotanga mo mohe ai he taimi 'aho', 'oku 'i Kolovai. Koe kolo lahi ia 'oe vahe Hihifo'.

At least that's what everyone thinks. Actually the main flock, the main home of the flying foxes, is at our home in Ha'avakatolo, next to Kolovai.

Koe ma'u ia 'ae tokolahi. Ka koe tau'anga peka lahi taha', 'oku tu'u ia 'i homau 'api nofo'anga' 'i Ha'avakatolo, hoko atu pe ki Kolovai.

There are other little groups roosting in the toa trees up and down the road from 'Umutangata to Kolovai, and a few elsewhere in the bush but the main colony is there at our home.

'Oku 'iai pe moe fanga ki'i peka 'oku nau tau takai holo he hala' mei 'Umutangata ki Kolovai pe koe vao'. Ka koe tau'anga lahi' 'ae' 'oku tu'u 'i homau 'api nofo'anga'.

You see it in old postcards. They say *Flying Foxes at Kolovai* but the photographs are always taken at our house. My grandfather's house where my family still lives.

'Oku 'asi he ngāhi kāti 'ofa 'oe taimi koia'. Koe *Taunga Peka 'i Kolovai* ka koe fo'i 'ata', ko homau 'api' ia. Koe 'api ia 'eku kui' pea 'oku kei nofo'i pe 'ehe famili' 'ihe lolotonga ni.

The Flying Foxes hang on the Toa Trees at Kolovai, Hihifo,Tonga.
Tau'anga Peka 'ihe 'ulu toa 'i Kolovai, Hihifo, Tonga.

You can see our houses in the background behind the toa trees and the clusters of peka hanging in the toa trees. In some of them there are young kids and when we look closely we usually find it's one of our aunties or cousins having their photo taken.

'Oku te sio atu pe ki homau fale nofo'nga' 'i mui atu moe fanga peka' 'ihe 'ulu toa'. 'Ihe 'u tā e ni'ihi 'oku 'asi ai 'emau fanga fa'e' mo ha kau leka pe homau famili'.

10

The little house on the far left is where my brothers and I lived from around 1957 to 1966 before I left to Wellington, NZ to study. I was 17 years old.

Koe ki'i fale 'ihe tafa'aki to'ohema' na'aku nofo ai mo hoku fanga tokoua' meihe 1957 – 1966 kimu'a ia peau toki 'alu ki Uelingatoni, Nu'usila he ako'. Ko hoku ta'u 17 eni.

The caption's correct, but the photograph is of the colony at our home at Ha'avakatolo. Kolovai is where they're supposed to live, but because a lot of people have been mistreating them, they shifted to where they are safer.

Koe tohi he kāti' 'oku tonu, ka koe fo'i 'ata ia 'i homau 'api' nofo'anga' 'i Ha'avakatolo. Na'e tonu foki ke nau nofo 'i Kolovai ka koe lahi hono tolo 'ehe kakai, pea nau hiki leva 'o nofo 'iha feitu'u tenau malu ai'.

My grandfather, my namesake, Tapani lahi, looked after them, making sure that people don't go and throw things at them and try to catch them to eat. Or even for photographs for visiting tourists.

Ko 'eku kui', Tapani lahi na'e fu'u tokanga 'aupito ke 'oua 'e tolo 'ehe kakai 'ae peka' ke kai. A'u pe ki he 'ene ta'ofi ke hu ange ki hono 'api' 'ae kau pāsese' ke faitā.

Of course the tour guides tell tourists, *we're going to the flying foxes at Kolovai* and then they stop at Ha'avakatolo. They don't go to Kolovai because there's not enough flying foxes at the colony there. The tourists are none the wiser.

Talaange pe foki 'ehe taki mamatā ia ki he kau pāsese', *tau ō eni ki he tau'anga peka' 'i Kolovai* pea nau tu'u nautolu 'i Ha'avakatolo. 'Ikai kenau tu'u nautolu 'i Kolovai he 'oku fu'u toko si'i e peka' ia ai'. 'Ikai ha kohu ia kiai 'ae kau pāsese'.

Besides, the small colony there is situated in the main village cemetery, Pouvalu, and tourist activities are not encouraged there. The locals are not only mindful of the cemetery but also a bit scared of ghosts.

'Ai ai e tokosi'i 'ae peka' pea mo 'enau toe tau he 'ulu toa he fa'itoka ko Pouvalu' pea 'ikai ke fie 'alu e

kakai' ia 'o fakameili ai. Nau faka'apa'apa pe ki he
fa'itoka' pea moe taka ilifia tēvolo pe moe toko lahi.

The main colony actually hangs from the toa trees in
front of our house. The section where we live in the
village is about 3000 square meters overall. There are
five or six huge toa trees in front, some 30 meters
from the road, and that's where the peka hang from.
In the daytime when they sleep.

Koe tokolahi taha 'oe fanga peka' 'oku nau potanga
'ihe 'ulu toa koe' 'i mu'a homau fale nofo'anga'. Koe
'api lahi, mahalo pe koe mita tapafa e 3000, pea 'oku
'iai e ngāhi fu'u toa lalahi 'aupito ai 'e 5 pe 6 'i mu'a
mahalo ki he mita e 30 meihe hala', pea koe tau'anga
peka' eni. Lolotonga e 'aho' nau mate mohe kotoa.

Along the northern side of the section going to the
back are the two very big Feta'u trees whose fruits
we used to play marble with, as I mentioned in my
first book, *Marbles and Mangoes*.

'Ihe tafa'aki fakatokelau 'oe 'api', 'oku tu'u ai e ongo
fu'u feta'u lalahi 'ae' na'a mau fa'a toli 'o mapu 'aki
hange' koia 'oku 'asi 'ihe MM1, *Mapu moe Mango*'.

13

The toa trees are very old. Goodness. I would suggest 150 years old at least, maybe even more than 200. These trees, the toa trees, grow very slowly. It takes quite a long time for them to grow to maturity.

Koe toa' koe 'akau motu'a 'aupito. Tamani. Kou pehe' mahalo 'oku nau motu'a ange he ta'u e 150 nai pe koe 200. Koe 'akau tupu tuai 'aupito. Nau tupu māmālie 'aupito. Fuoloa 'aupito pea nau toki matu'otu'a.

And they are still there today. I'm over 70 and they were already as tall and full of peka when Tapani lahi lived there as well as later when my family moved in to stay at his house in the late 1950s after he had died.

Pea 'oku nau kei 'i heni pe he ngāhi 'aho ni. 'Oku ou 'ihe 70 tupu' he taimi ni pea na'e 'osi lalahi pe 'ae 'ulu toa' moe tau'anga peka' ia he taimi na'e kei mo'ui ai 'a Tapani lahi' pea mau toki hiki atu ki ai hili 'ene mālōlō'.

They are a species of ironwood trees and in other countries ironwoods are renown for their long life, some species living more than 1200 years.

'Oku 'iai e kalasi toa he ngāhi feitu'u kehekehe 'oku nau mo'ui fuoloa 'aupito, 'o a'u ki he ta'u 1200 e kalasi e ni'ihi.

The other colony at Kolovai, they live in the toa trees there at the cemetery, Pouvalu. And a few will hang in the toa trees along the road, at what we call the boulevard, that is, the stretch of road along Ha'avakatolo and Kolovai.

Koe tau'anga peka i Kolovai' 'oku nau meimei tokolahi pe 'i he fa'itoka ko Pouvalu'. Pea toki tātātaha holo pe he 'ulu toa kehekehe he Hala Po'uliva'ati', 'aia koe vaha'a hala ia 'o Ha'avakatolo pea mo Kolovai'.

When you say they fly you might have the picture that they are actually like a bird, and take off and fly around like a cockatoo or a sparrow or a magpie like in Australia.

Koe pehe' koe' 'oku nau puna', 'oku te pehe' 'oku nau puna hange' koe manupuna 'oku tau maheni moia', hange ko ha kokatū pe koe misi pe koe mekipai 'i 'Aositelēlia'.

Yes, when they take flight, they are in the air, flying away flapping their wings. But they don't take off like a bird and they don't rest in the trees like one either.

'Io koe taimi 'oku nau puna ai he 'ea', 'oku tā honau kapakau'. Ka 'oku 'ikai kenau kapapuna, pe tu'u 'i ha va'akau hange' koe manupuna 'oku tau maheni moia'.

When they land on the tree they actually hang upside down, they don't stand like a bird. They hang upside down, their wings folded back to their bodies and their little heads pointing to the ground.

Ko 'enau a'u pe ki ha fu'u 'akau 'oku nau fie tau ai, pea nau māmālie pe 'o tautau hanga e 'ulu' ki lalo, kae 'ikai ke tu'u hange' ko ha manupuna'. Nau tautau hanga ki lalo, pea pelu mai honau kapakau' ki honau sino' moe 'ulu' hanga ki he kelekele'.

They come home at dawn to sleep during the day. So when the tourists come by, they are all there hanging upside down in the toa trees, just having a rest, fanning themselves and tending to their young and so on.

Nau foki mai he hengihengi' pea nau malōlō pe he taimi 'aho'. Pea koe omi koe' 'ae kau folau 'eve'eva' kuo nau 'osi maau kotoa pe 'i he 'ulu toa' 'o tautau fakapeka pe mei ai, tapilipili pe mo tokanga'i honau fanga ki'i 'uhiki'.

And then, at dusk they all fly out. About 6 or 7 o'clock they start to get ready. They don't all take off at once. The flock that was hanging in our place at any one time, would be 700-800+ of them and when they go it will take probably half an hour for all to take flight. There is always some 10 or so that remain behind, I guess for navigational reasons.

Pea 'ihe efiafi po'uli' nau mātuku atu. Mahalo ki he 6 pe koe 7 efiafi' kuo kamata ke nau vake' moe teu 'alu. 'Oku 'ikai kenau puna fakataha. Koe tau'anga peka 'i homau 'api' mahalo koe peka e 700-800+ pea mahalo 'e mimiti 'e 30 pea nau toki 'osi he puna. Ka 'oku 'iai ma'upe 'ae ki'i toe, mahalo pe ki he peka e 10 'oku nofo pe honau tau'anga', pea mahalo pe ko ha 'uhinga fakafetu'utaki kenau 'ilo'i 'ae hala ki he foki mai'.

They don't all go – flap, flap flap, like when you see the geese taking off or the ducks taking off from a lake, those birds all fly off in one hit – all 300 or 400 of them will be in the air in a few minutes. Not so with the flying foxes.

'Oku 'ikai kenau kapapuna pe tatapa hange' koe fanga kuusi' pe koe fanga pato' he taimi 'oku nau puna ai mei ha ano vai, 'o meimei puna fakataha kotoa pe – koe manupuna nai e 300-400 'oku lau miniti pe kuo nau 'osi kotoa ki he 'ea'. 'Oku 'ikai ke pehe' 'ae fanga peka' ia.

So they are in full flight and they all go looking for food, ripe fruits to eat throughout the night as there is only one mealtime. The mango trees, when they are in season, are their favourite and they go there and feed on the ripe mangoes. And the tava trees when in season too.

18

Koia kuo nau 'osi kotoa he puna takitaha 'alu 'o kumi 'ene kai, ha fa'ahinga fua'i 'akau momoho pe 'e ma'u', he 'oku taha pe houa kai'. Ko honau lata'anga e 'ulu mango' he taimi 'oku nau fua ai' mo momoho lelei'. Pehe' pe ki he tava' 'i honau taimi' fua'.

Then at dawn just before sunrise, they will all come back to the same place where they left a few hours before, in our place and elsewhere along the boulevard, and hang there, upside down to spend their day till the evening comes round.

Pea 'ihe hengihengi' kimu'a pea mafoa e ata', nau fakaholo mai mei 'uta ki honau tau'anga tatau pe na'a nau 'alu mei ai he ngāhi houa si'i pe kuo toki 'osi', 'i homau 'api' pe ko ha feitu'u kehe pe 'ihe Hala Po'uliva'ati', 'o tautau fakapeka mei ai 'o tali ki he efiafi'.

That's where you can catch them, where they are sleeping during the day, if no one is looking. And you throw your stick at the ones that sleep together in large numbers, clustered in large groups in clear areas of the toa trees. At our place or in Kolovai.

Koe taimi eni kete ki'i tolo peka ai' he lolotonga 'enau mohe he 'aho' kapau 'oku 'ikai ke sio mai ha taha. Koe feitu'u sai taha kete tolo' kiai', koe pupunga lahi taha' tu'u he 'ata'ata' loa' 'ihe 'ulu toa'. 'I homai 'api' pe ko Kolovai.

There is no safety in numbers for them in this case as the hunter throws his stick or rock at where the largest clusters are. That way he has the best chance of hitting them, and before the colony knows it, some 10 or so will have found themselves on the ground before they have half a chance to take flight.

Neongo 'enau tau fakapupunga' 'e 'ikai ko ha malu'anga ia, he koe tangata tolo', 'e tolo ia ki he feitu'u koia'. Pea ka tau lelei, tenau hahaka hake pe kuo 'osi ngangana ha peka ia e 10 nai ki he kelekele' he na'e 'ikai ma'u ha faingamālie kenau puna ai.

Part 2: Slingshots

Konga 2: Sengai

How do you catch a flying fox? The sneaky way is to throw something at them. You might have a stick or a stone, look around, nobody is looking, up it goes and hits the flying fox. You get one, it falls and you just run up and grab it. Very easy to catch.

'E anga fēfē ha'o tauhele'i ha peka? Tolongi 'aki ha me'a. 'Aki ha va'akau pe ko ha fo'i maka, vakai pe 'oku sio mai ha taha, pea ke tolongi 'aki e taunga peka'. Ka tau ho'o tolo' pea tō hifo ha peka ki lalo, pea ke lele atu leva 'o puke ia. Faingofua 'aupito.

You bundle its wings up and hold it so you don't get bitten. They can give you a nasty bite, but you know how to handle them. And he's stunned and you can keep it alive or just hit its head with something and away you go.

Ke peluki mai hono kapakau' 'o puke mo ke tokanga pe na'ane u'u koe. 'Oku nau u'u mamahi 'aupito ka 'oku te poto pe hono 'ai'. 'Oku te puke mo'ui pe, pe koe taa'i hono 'ulu' 'aki ha me'a pea te 'alu leva.

But other than throwing things at them, there's also shanghais, slingshots, and some of the young guys are good at it. You want something to eat. And they're out there and very easy to catch. The likes of Tapani lahi are not always around.

'Oku 'ikai koe tolo' pe ka 'oku 'iai moe founga 'e taha, koe sengai, pea 'oku fu'u poto 'aupito e kau talavou' he fana sengai'. Nau fie kai peka. Koe taunga peka' ena. Koe fa'ahinga foki 'o Tapani lahi 'oku 'ikai ke nau nofo 'api ma'u pe.

Teenagers plus, anything from 13 to 25, they're the ones with the slingshots. You make them, or one of your relatives passes theirs on.

Koe kau talavou mei he 13-25 'oku lahi taha 'enau ngāue 'aki 'ae sengai'. Taki taha ngāhi pe 'ene sengai pe ko 'ete kole ha sengai hato famili.

The sling, it's not like those great metre long things that you swing around above your head and let fly your stone. That one we're told about in Bible stories about David and Goliath.

Koe kalasi sengai koeni 'oku 'ikai tatau ia moe ngāhi fu'u makatā loloa koe' 'oku te takai 'i 'olunga hoto 'ulu' hange koe makatā koe' 'a Tevita mo Kolaiate' he Tohitapu'.

Those slingshots are actually still being used today in the same places. I've seen them in the news, young men fighting in Palestine/Israel with slings and rocks.

Koe kalasi makata' koeni 'oku nau kei ngāue 'aki pe he ngāhi 'aho ni. Kou fa'a sio ai he ongoongo' he feke'ike'i ko ena 'a Palesitaine mo 'Isileli'.

But our slingshots we make ourselves from Y-shaped tree branches usually from the guava or orange trees and rubber. You get hold of a bicycle inner tube or a car or lorry inner tube and you cut it up into strips, like ribbons. The length might be 400 mm or so, and you need a couple of strips.

Koe 'emau sengai' 'oku ngāhi ia mei ha va'a kuava pe koe moli, manga ua pea moe leta. Koe leta loto 'oha pasikala pe loli 'oku kosi loloa ia hange' ha lipine'. Mahalo pe ki he milimita 400 loloa, lau'i me'a e ua'.

You get a Y shaped guava branch, about 20mm thick and about 200mm long from top to bottom. And you tie the rubber strips to the two fork legs of the Y and at the other two ends of the rubber you tie a 40mm, piece of cloth to join them together.

Pea te 'omi leva 'ete va'akau manga', milimita e 20 fōlahi mo milimita e 200 loloa. Pea te nono'o leva e ongo lau'i leta' takitaha ki he manga', pea te nono'o leva e ongo mui'i leta koe' 'o hoko 'aki ha konga tupenu matolu fe'unga pea milimita e 40 nai.

That cloth piece holds your bullet. It could possibly be a marble, but we don't really use those. More likely it would be a round stone as there are a lot of those around.

Koe konga tupenu' teke puke 'aki 'ae fo'i maka teke fana'i'. Pe ko ha foi' mapu tau pehe'. Ka 'oku sai ange 'ae maka' he 'oku lahi pea ma'u ngofua.

Sketch of slingshot, courtesy of Canva.
Koe sengai ... 'imisi meihe Kenivā.

You have a few stones in your pocket and you have your shanghai/sling hidden on your person out of sight as they're illegal to own.

Fa'o pe 'ete maka' hoto kato' pea fufuu'i pe 'ete sengai' hoto vala' he 'oku tapu foki he lao' ke 'iai ha'ate sengai'.

To load up the sling shot, you shake it loose and place the round stone on the bit of cloth first. Then hold the Y-frame with your right hand and with your left hand, hold the stone which is in the cloth piece. Hold your right hand outstretched, you pull the stone in the cloth with your left hand hard to give it tension, aim and let the stone go. The stone flies at speed for some distance.

Ka 'oku ke fie fana'i ha me'a, pea ke to'o mai ho'o sengai' 'o fakavetevete pea ke mono e fo'i maka' 'o puke 'aki e ki'i konga tupenu'. Puke hake 'ae sino'i sengai' 'aki ho nima mata'u', pea ke puke 'aki ho nima hema' 'ae konga tupenu' moe fo'i maka' 'i loto. Falō atu ho nima matu'u kihe mama'o' pea ke fusi leva e fo'i maka' 'ihe loto konga tupenu' ki he mafao taha'. Faka'ata pea ke tukuange 'as fo'i maka'. Teke sio ki he puna kaki oma 'ae fo'i maka' ki he mama'o'.

Be careful that no one gets hurt.

Tokanga pe na'a lavea ha taha.

Or we used the green guavas. They're hard and small and easy to get. You adjust to suit if you are lefthanded like me. Believe me it's easy, been there done that.

Pe ko 'ete fana 'aki e fanga ki'i kuava mui'. Fefeka pea toe fōlahi fe'unga ki he fana' pea toe ma'u ngofua foki. Kapau 'oku ke hema 'oku faingofua pe 'ete fetongi'. Tui mai kia au he na'aku fana sengai.

We use them just for fun though you're not allowed to have slingshots. By law. That's because they're dangerous. If you hit somebody in the head with one of your stones or even with a guava, you could kill them or blind them. Or other serious injuries.

Mau fana sengai mautolu koe va'inga pe neongo 'oku tapu he lao'. Koe'uhi' he 'oku fakatu'utāmaki. Kapau teke fana 'aki ha fo'i maka pe koha fo'i kuava' 'o tau ha 'ulu 'o ha taha, 'e lava pe ke mate pe kui. Pe ko ha lavea kehe.

So they're illegal. Makes it even more good fun to have them. Illegal stuff? That's how we think when we're young.

Koia, tapu he lao'. Hange' ia hano faka'ai'ai kita ke ngāhi ha'ate sengai. Tapu'i? Koe 'atamai ia he kei vale'.

I know maybe of the 15 or so youths in our village there'll be two or three shanghais amongst all of us. We know who has them.

Kou 'ilo'i koe kau talavou mahalo e toko 15 homau kolo' na'e 'iai ha sengai e ua pe tolu. Mau 'ilo kotoape pe kohai 'oku 'iai ha'ane sengai.

And we go out together and do target shooting, using the green guava fruits. Cause there's plenty of them when in season. Maybe four or five of us will go target shooting then off for a swim in the sea. We tell nobody of course.

Pea mau fa'a ō 'o fana polo 'aki e kuava mui' he taimi 'oku nau fua ai'. Mahalo pe mau toko 4 pe 5 mau 'alu 'o fana polo pea faka'osi ki liku 'o kaukau tahi. 'Ikai tala foki ki ha taha.

We put up an old tin can or something on a pedestal of sorts and shoot at it, or just a stick pushed into the ground with an old dried coconut on the end and we try to hit that.

Mau fa'a 'ai pe ha nge'esi kapa 'o hilifaki pe ha me'a pea mau tāketi ki ai, pe ko ha va'akau pe 'o hunuki ki he kelekele' mo ha nge'esi pūpū 'i 'olunga pea mau fana ki ai.

There are stones around that look a bit like asphalt. And they're as heavy and hard as a glass marble. And that's what you use to shoot the flying foxes with. They are called, kilikili. But they are scarce.

'Oku 'iai e kalasi maka 'uli'uli pea mafamafa lelei hange' pe ha fo'i mapu sio'ata' nai. Koe kalasi maka eni 'oku sai 'aupito ki he fana peka'. 'Oku ui koe kilikili. Koe me'a' pe he 'oku ma'u ngata'a.

The inner tube used for slings I suspect came when the American troops were in Tonga during World War 2 (1939-45) really, when army vehicles including motor bikes and bicycles became more common. Before that I don't know what people used or even if they used slingshots at all. And I've never seen anyone using the slings like the David and Goliath ones.

Koe leta loto ko eni na'a nau ngāhi 'aki e sengai' kou tui na'e 'omi ia moe kau tau 'Amelika na'a nau 'i Tonga ni he Tau lahi hono ua 'a mamani (1939-45), pea omi ai moe 'u loli, paiki moe pasikala kenau ngāue 'aki. Kimu'a ai', 'ikai keu 'ilo'i pe na'e 'iai ha sengai 'i Tonga ni pe 'ikai. Pea na'e 'ikai pe ha makatā ia hange' koe makatā 'a Tevita mo Koliaate'.

So I think our shanghai slingshots in Tonga probably date from the 1940's. American troops were stationed in Tonga during the war, and they brought trucks and jeeps and motorbikes. And the tyres needed for them.

Koia kou tui koe sengai' 'i Tonga na'e toki kamata pe he taimi 1940 tupu'. Na'e 'i Tonga ai e kau tau 'Amelika pea nau omi ai moe loli, siipi moe paiki. Moe leta loto foki ki he va'e 'o 'enau ngāhi me'alele'.

And I think they probably brought the shanghai with them too. The Tongan word, sengai comes from the word shanghai. And I never saw them in any of the movies we watched as kids, so the American troops are the most likely source.

Kou tui koe taimi eni na'e kamata ai e sengai' 'i Tonga'. Koe fo'i lea sengai' koe ha'u pe meihe shanghai fakapapālangi'. Te'eki ai keu sio au ha faiva 'oku 'asi ai ha fana sengai, koia kou tui na'e omi pe 'ae kau Amelika moe sengai'.

Shanghai as a word is used in English of course, but I knew the word even before I went to New Zealand in 1966.

Koe fo'i lea fakapālangi foki 'ae Shanghai, ka na'aku 'osi 'ilo'i pe 'e au 'ae fo'i lea' peau toki 'alu ki Nu'usila he 1966.

And when I was growing up in Tonga, sengai was used, like snooker, if you were deceiving your opponent. If you snooker somebody or shanghai them you sort of trick them.

'Ihe 'eku tupu hake 'i Tonga', na'a mau ngāue 'aki 'ae fo'i lea sengai' pe koe sunuka', ke 'uhinga ki ha'ate feinga ke tauhele'i pe kākā'i ha taha kehe.

Now one of the advantages of wearing a ta'ovala is that you can carry things, hymn books, hankies, in the top overlap of your ta'ovala above the kafa belt. This is called the kona.

Koe taha e 'aonga 'oe ta'ovala' koe 'iai ha feitu'u ke tuku ai 'ete tohi Himi' pe ko hoto holoholo', 'i loto 'i 'olunga he kafa nono'o'. 'Oku ui eni koe kona'.

But ordinarily when you go out you don't wear a ta'ovala, you just have on a tupenu or trousers. Otherwise the kona would be a good hiding place for your sengai and shots.

Ka 'i hoto vala faka'aho' 'oku 'ikai kete tui ta'ovala kita. 'Oku te tupenu pe, pe koe talausese. Ka kapau na'e 'iai hato ta'ovala mo ha kona, koe fo'i fufu'anga lelei ia ki ha'ate ki'i sengai mo ha maka.

A ta'ovala is more formal, and anyway it's cumbersome and inconvenient when you're out working or hunting peka. So you just put your slingshot in your pocket or inside your shirt.

Koe ta'ovala' 'oku te toki tui pe ki he lotu' tau pehe', kae 'ikai kihe vala faka'aho' hange' koe 'alu ki 'uta pe koe fana peka. Koia 'oku te fufuu'i pe 'ete sengai hoto kato' pe koe mono ki loto hoto sote'.

It's prohibited for males to wear a bare torso in public. Unlike other places in the Pacific like Samoa where it is allowed anywhere. In Tonga it's prohibited by law. You've got to have a covering of some sort.

'Oku tapu e ta'ekofu 'ae kakai tangata' 'iha feitu'u fakapule'anga. 'Oku kehe ia meihe 'otu motu kehe' hange' ko Ha'amoa' 'oku ngofua pe 'ae ta'ekofu' ia 'iha feitu'u pe. 'Oku tapu'i fakalao ia 'i Tonga. Kuopau ke 'iai hoa ki'i falani mutu pe ko ha fa'ahinga me'a pehe'.

But on very hot days you don't want to wear a shirt, you just sling your shirt over your shoulder like a scarf. You just have a "scarf" and that's a covering and no one can tell you off. It's not against the law.

Ka kapau 'oku 'afu pea 'e sai pe ia kete hāfei pe 'e kita hoto sote'. Pe koha fa'ahinga hāfei pe ke ki'i puli atu hoto tu'a' tau pehe', pea 'e ngali sai pe ia. 'E ngali fakalao pe ia.

As long as you have some kind of covering there. Not a piece of string, that's stretching it too far, but like a scarf, or your singlet. You take it off and throw it over your shoulder and you're ok.

Kaekehe pe ke 'iai ha ki'i me'a 'e ngali koe kofu. Mahalo he'ikai tali ha ki'i konga maea. Vete ho falani' 'o li hake pe ho uma' pea 'e sai pe ia.

So there you are, you're out. Quiet day and you're by yourself, you just go out and have a shot. You don't have to go to anybody's place, you just stand from the road.

Longonoa e 'aho' pea te pehe kete 'alu 'o ki'i tesi'i 'ete sengai'. Te tu'u pe kita he hala pule'anga' 'o fana mei ai.

All the flying foxes are hanging in their toa trees on the western or the liku side of the road. At other people's places.

Tau pe fanga peka' honau 'ulu toa' he kauhala hahake' pe koe tafa'aki ki liku'. He 'otu 'api pe 'oe kakai'.

You don't go to the bush. It's harder to get them there cause there's only a few, one or two or six, in a tree. And each little group, they spread out a metre or so away from each other.

'Ikai kete 'alu kita ki 'uta. Faingata'a ange ia he 'oku nau toko si'i ange ai, taha pe, pe ua, pe ono nai ha fu'u 'akau. Pea nau tau mofele holo mo vā mama'o.

You walk five hundred meters to get there looking for some flying foxes in the bush and you take one shot and they all fly away. And if you miss with that one shot, you come back empty handed.

'Oku te 'alu ha mita e 500 ke a'u ki ai koe fakasio peka he vao' pea te fana tu'o taha pe pea nau 'osi katoa kinautolu he puna. Pea kapau e hala 'ete fo'i fana' pea te foki leva moe hala ata'.

The best place to go is where they're roosting in the toa trees at our place because there's literally hundreds and hundreds of them there. And you just shoot at the biggest target. There's a cluster here and a cluster there. Clusters and clusters of them everywhere.

Koe feitu'u sai taha ki he fana peka' koe feitu'u 'oku nau tau tokolahi taha ai', 'aia ko homau 'api' ia he 'oku lau ngeau e fanga peka' ai. Pea ke fana pe ki he potanga lahitaha teke fie fana kiai. Pea toe lahi foki moe ngāhi potanga'.

You don't do it when Tapani lahi is visible and at home. But if you think he's gone to the bush, that's when you try.

'Ikai foki kete fana he taimi 'oku 'i 'api ai 'a Tapani lahi'. Ka ko 'ete 'ilo pe 'oku 'alu ki ha feitu'u pea ko hoto ki'i faingmālie' eni.

But you know that you're really not allowed to catch them like that. That's Tapani's place. The peka are on his property and you don't catch pigs or chicken or even peka at other people's places.

'Oku te 'ilo pe foki 'oku 'ikai ke ngofua kete fana e peka'. Koe 'api eni 'o Tapani. Koe fanga peka' 'oku nau tau hono 'api' pea 'oku 'ikai kete 'alu pe 'o puke ha puaka, moa pe koe peka 'oku 'iha 'api kehe.

When the weather's bad, that's when you catch them in the bush. The peka don't fly back from the bush in the morning when it's windy, they just stay there, shelter there.

Koe taimi 'oku hakohako ai', koe taimi sai eni he fana peka 'i 'uta'. Ka hakohako koe tokolahi he 'ikai

kenau foki mai kinautolu he hengihengi'. Nau toitoi
pe kinautolu i 'uta.

So you go out to the bush and there's a lot of them
around. Much more than usual. Much fun, you
throw sticks and stones at them in the coconut trees
to your heart's content. And if you have a slingshot,
you can shoot them with that.

Koia kapau teke 'alu atu ki 'uta teke fakatokanga'i
'enau tokolahi ai'. Pea ke tolo fa'iteliha pe kinautolu
'aki ha maka pe ko ha 'akau. Pe koho'o fana 'aki ha
sengai.

The taboo against catching them and eating them
comes from the high chief of the district, Ata. It
doesn't apply to other nobles. And it's only about
the flying foxes that live in Kolovai.

Koe tapu'i hono tauhele'i mo kai e peka', 'oku
fekau'aki pe mo Ata mo hono kainga'. 'Ikai ke kau
ai e kau Nopele kehe' ia. Pea koe tapu pe ki he fanga
peka 'oku tau 'i Kolovai'.

Not like the swans in Britain. They all belong to the Monarchy wherever they live. Every swan belongs to the Queen and you're in trouble if you catch and eat them. It's a live protein reserve for the Royal household if required.

'Ikai tatau moe fanga suani 'o Pilitania'. Koe fanga suani katoa 'i Pilitania', tatau aipe' pe 'oku nau nofo 'ife', koe fanga manupuna kātoa ia 'ae Tu'i' pe koe Kuini 'oe taimi koia'. Koe me'a taumafa ia 'ae Tu'i 'oka tō ha honge. Koe me'a ia 'oku tapui ai'.

With the flying foxes, they only belong to Ata when they are roosting at Kolovai. When they roost at Fo'ui or at our place in Ha'avakatolo, you can trap them and eat them to your heart's content.

Koe peka pe 'oku tau 'i Kolovai' 'oku fakatapui ma'a Ata'. Koe peka 'oku tau holo pe 'i Fo'ui pe ko Ha'avakatolo 'oku ngofua pe hono tauhele'i ia ke kai 'eha taha pe.

But be careful not to trespass on other people's places or their land to catch them. Although some locals are pretty relaxed about this.

'Oku te tokanga pe ke 'oua tete halaloto'api holo he 'api 'oe kakai'. Ka koe tokolahi 'oku 'ikai ke nau fu'u tokanga kinautolu kiai.

Flying Foxes in Flight by Elizabeth Paris Cocker.
Puna e Peka' ... 'Ilisapesi Pālesi Koka.

Part 3: Capture in Midflight

Konga 3: Heu Peka

Our neighbour to the north towards Kolovai had a great big tava tree growing right next to our place. Huge huge tree and our feta'u and toa trees are only 30 or so metres away.

Ko homau kaungā'api he tafa'aki ki Kolovai' 'oku 'iai honau fu'u tava lahi 'aupito ofi mai kia mautolu'. Pea mahalo koe mita pe 30 nai hono mama'o mei homau 'ulu feta'u' pea moe toa'.

So his tava tree is quite close to the main hangout of the flying foxes where some 600 or more would roost on any given day.

Koia koe fu'u tava' 'oku ofi 'aupito ki he tau'anga peka' 'aia 'oku meimei 'iai ha peka nai 'e 600 tupu 'iha 'aho pe.

At late afternoon when it starts to get dark, the flying foxes take off, circling and making a lot of noise before they fly off to forage during the night. That's when Uili catches them. At dusk.

'Ihe efiafi hifo kamata ke fakapo'uli', kuo kamata kenau vake' pea takapuna holo e ni'ihi 'i 'olunga mo takai holo pe ai teuteu kenau mātuku atu 'o kumi kai he po'uli'. Koe taimi eni 'oku tauhele'i 'e Uili kinautolu'. He efiafi po'uli'.

Flying Foxes Flying Away at Dusk by Elizabeth Paris Cocker.

Puna e Peka' he efiafi' ... 'Ilisapesi Pālesi Koka.

He gets up there, to his hiding place already prepared on top of his tava tree, that's where he's going to catch them from. When the wind condition is right and he knows when, the flying foxes will have to fly up and over his tava tree to get up high then continue on to the bush.

Kaka hake e tangata' ki hono toitoi 'anga he funga tava' na'ane 'osi teuteu'i, koe feitu'u eni 'e heu peka mei ai'. Ko 'ene matangi lelei pea 'oku 'osi 'ilo pe 'e 'Uili koe taimi eni 'e puna mo fou hake ai 'ae fanga peka' 'i 'olunga hono fu'u tava' mo ofi hifo 'aupito ki ai, pea nau toki puna atu ai ki he vao'.

That's when he'll catch them. Mid flight. But how? Well, we people from Ha'avakatolo are clever, cunning hunters and very innovative in overcoming the challenges of life.

Koe taimi heu peka' eni. Lolotonga 'enau puna. 'O fēfē'i ? Koe kau Ha'avakatolo' 'oku nau fu'u poto mo pāte'i he solova ha palopalema pe 'oe mo'ui'.

See what he does. He's made a long dry pole out of light bamboo. It's 5 or 6 metres long and on the thin end he's added a prickly snare made from the veins of talatala'amoa leaves.

Koe founga' eni. 'Omi e fu'u va'a pitu mōmōa, loloa mo hangatonu. Mahalo pe ki ha mite e 5-6 pea ne lalava leva 'ae lau'i talatala'amoa' ki he mu'i pitu fōsi'i mahalo ki ha mita pe e taha. Lalava hange a taufale' pea mafola 'e talatala 'o fālahi.

The fruit of the talatala'amoa plant can be used for playing marbles. You'll remember that from my story MM1, *Marbles and Mangoes*.

Koe fua foki 'oe talatala'amoa 'oku fai'aki 'ae mapu'. Kapau temou manatu'i meihe 'uluaki tohi' MM1, *Mapu moe Mango*.

But this is a very useful plant. The bushes have long leaves, maybe 300mm long, with strong veins and what looks like hairy fur growing off them. And prickles, sharp prickles grow all along the veins.

'Aonga 'aupito e fa'ahinga 'akau ni. Ko e lau' 'oku meimei milimita 300 hono loloa' pea kalava fefeka e lau', moe me'a hange ha fulufulu 'oku tupu ai'. Koe kalava' 'oku fonu ai e talatala'.

So you pull off all the hairy bits and you're left with the hard veins with the prickles. In each leaf, there's the big main vein and smaller ones branching out from it.

'Oku te fusi kotoa e fulufulu' pea toe pe 'ae kalava',
fonu he talatala'. 'Iai e fu'u kalava lahi 'i loto pea toki
va'ava'a mei ai e fanga ki'i kalava iiki'.

They're quite strong. Full of very strong prickles.
Similar to rose prickles, bent barbs not straight like a
lemon tree prickle which is just a straight needle.

Fanga ki'i talatala fefeka 'aupito nau fonu he lau'.
Koe tala' 'oku ki'i piko hange' ha tala'i lose' kae 'ikai
hangatonu hange' ha tala'i lēmani'.

So you get enough of these talatala'amoa leaves, take
all the hairs off them. They'll be about as long as
your forearm, 30 or 40 of them to make the snare.

Koia 'oku te kumi mai ha lau'i talatala'amoa fe'unga
ke ngāhi 'aki 'ete 'akau heu peka'. Fusi kotoa e
fulufulu ke 'osi. Mahalo ko ha lau'i 'akau pe 30-40
kuo feunga ki he 'ete 'akau heu'.

You bind them on to the thin end of the pole, about
500 mm from the end and right to the very tip. You
tie them on with string and they're all bound on

there nice and tight and will stretch out from the pole, somewhat like a dandelion head on its stem.

Te lalava kotoa eni ki he mui fōsi'i' mahalo pe ki ha milimita e 500 meihe mu'i'i kofe' pea e toki mafola pe ia hange' a matala'i tenitilaione'.

They flare out at the end of the pole to say 500 mm across and same from the end. And it's very prickly. All set you've got your peka catching pole ready.

'E toki mafola pe ia he 'osi hono ha'i' ki ha milimita nai e 500 pea pehe pe mei he mui'i kofe'. Koe talatala e talatala. 'Osi māu leva ho'o 'akau heu peka'.

And he has a little hammer of sorts, another stick, but very strong and heavy. Not like a pawpaw branch. Too light. The peka would barely feel it.

'Iai pe mo 'ene ki'i hāmala, koe ki'i va'akau pe, fefeka mo mafamafa lelei. 'Ikai hange' ha va'a lesi'. Fu'u ma'ama'a ia pea he 'ikai ongo'i ia 'ehe peka' ha me'a.

Typically he'd find a guava branch and he takes that stick with him up the tree. To whack his catch on the head to finish them off.

Meimei ko ha ki'i va'a kuava pe pea kaka pe moia ki 'olunga he fu'u tava'. Koe 'ai foki eni ke tā'i 'aki ha peka e ma'u.

He puts it down on the side of his trousers and climbs up to the top of his tava tree. He's already made himself a safe spot up there. Like a birds nest.

Pea ne fa'o pe 'ene ki'i va'akau' hono talausese' pea kaka hake ki 'olunga he fu'u tava'. Kuo 'osi māu pe hono nofo'anga', fa'u hange' pe ha ki'i pununga manu'.

It's very strong so he doesn't fall down when he moves about, swinging the pole to catch his prey. And he waits.

'Oku mālohi fe'unga 'aupito hono ta'utu'anga' ke 'oua na'a tō ki lalo lolotonga 'ene ue'i takai holo e fu'u kofe' ke fakalave ki ha peka e puna ofi mai. Pea nofo pe ai 'o talitali.

When the peka all fly out at dusk, they will fly out from their roost in the toa trees and then soar up over the tava tree to catch the wind. So there he is, sitting in the tava tree with his pole and out of sight.

Koe puna koe' 'ae fanga peka' he 'efiafi' tenau puna ki he fu'u tava' 'o hake ofi kiai ke tō ki 'olunga 'o toki ma'u 'ea ai. Pea koe tangata' eni mo 'ene 'akau heu' 'oku toitoi pe mo talitali.

The flying foxes don't see him hiding there til it's too late, and as they start to soar over the tree, he swings his pole into its path and voila! - a flying fox's open wings get caught on the prickles.

Toki fakatokanga'i pe 'ehe peka' 'a Uili 'i he 'ene ue'i hake 'ene 'akau heu' ki hono halanga', ka kuo tōmui! Pea talaia ai hono kapahau' he talatala 'oe 'akau heu'.

The poor flying fox is startled and as it stalls mid flight to change direction, it grabs at the pole. And its paper thin flaps get caught on the prickles. It's now stuck to the end of the pole. No escape.

'Ai e fu'u 'ohovale 'ae peka' mo feinga ke kalofi e 'akau heu' 'o talaia ia ai. Pea ihe 'ene feinga ke homoki e talatala', 'oku toe 'a'asili ai 'ene 'efihia he talatala'amoa'. 'Ikai toe lava ke hola.

And that's how you catch them. It's not a net, like these butterfly nets you see, no. These are the talatala'amoa prickles poles. He pulls his pole in, back to where he's sitting. He's careful so he doesn't get caught on the prickles himself, takes out his little hammer, his little stick and whack on the head. The peka's gone.

Koe founga tauhele peka eni e taha. 'Ikai ke ngāue 'aki ha kupenga hange' koe kupenga pō pepe'. Koe heu talatala'amoa' eni. Pea ne fusifusi mai e heu' ki hono ta'utu'anga'. Fakaalaala pe meihe talatala' pea to'o hake 'ene ki'i hamala', 'ae va'akau ta', 'o hapo'i 'aki 'ae 'ulu 'oe peka' ke mate.

Then he pulls the peka off the prickles. It sounds like cloth ripping when you pull it off, the wings off. That scratchy ripping noise. *Skreech.*

Pea ne tatala leva e peka' mei he talatala'amoa'. Ongo hange' ko ha hae ha tupenu', 'ae tatala hono kapakau' meihe talatala'amoa'.

He wraps the peka up, folding its wings around its body, so it doesn't fall down and get stuck on some branches lower down and more trouble trying to get it off.

Peluki mai e kapakau' 'o takai he peka' ke 'oua e tōhifo 'o filifakia he va'ava'a 'i lalo hifo' pea toe fakahela hano toe feinga'i hifo.

Wraps it up and throws it down to the ground. And I could hear them from our place. *Thud*. One down to the ground.

Takai'i hono kapakau' pea li' ihfo ki lalo. Kou fanongo atu pe au ki he 'ene patō hifo ki he kelekele'. Taha.

You don't want to make too much noise cause that might make the peka nervous and fly off in another direction.

Te 'alu fakalongolongo holo pe mo 'oua tete longoa'a na'a puna e fanga peka' ia ki he tafa'aki e taha'.

He's got a lookout who's waiting down there under the tree to collect the peka. Otherwise their dogs, our dogs as well, will get there first and then they'll take it into the bush and eat it there. You lose the flying fox.

'Osi 'iai pe 'ae leka 'oku tali 'i lalo ke to'o e peka' na'a ma'u ia 'e ha kulī 'o hola ia mo ia 'o kai he vao'. Ko 'enau kulīi' pe, taimi e ni'ihi ko 'emau kulīi'.

Our dogs are not like the trained duck dogs in Australia or other places. There the ducks fall down when you shoot them, and the dogs go out and bring them back. Tongan dogs, they would run out there and grab the peka and run away out into the bush and eat them. They want to eat a flying fox too.

Ko 'emau fanga kulīi' 'oku 'ikai hange' kinautolu koe fanga kulī tuli pato 'i Aositelēlia' moe ngāhi fonua kehe'. Ko 'ete fana pe 'o tō ha pato pea lele e kuli 'o 'omi kia kita. Ko 'emau fanga kulīi' 'a

mautolu' nau lele nautolu 'o u'u e peka' pea lele ia
moia 'o kai he vao'. Nau fie kai peka pe mo nautolu.

Dog looking for food, courtesy of Canva.
Koe kulī kumi me'akai... 'imisi meihe Keniva'

Anyway, Uili will be up there. You don't go and sit
and watch him because neighbours don't like being
stared at, but you sort have a little spying spot and
you go there and, *oh yeah, there he is.*

'Io ko Uili ena kuo 'osi 'i 'olunga. 'Ikai kete fu'u nofo
atu 'o siofi he 'oku 'ikai ke sai ia. Ka 'oku 'iai pe hoto
ki'i toitoi'anga 'oku te 'alu pe kita 'o fakasiosio mei
ai, ko e', ke sio kiai.

It's quite fun just watching. He's very skilful, you
know. *Whish,* caught, brings it down, *whop, skreech,*

wrap up its wings. Find the opening in the branches and throw it down. *Thud.*

'Oku mālie kihe 'ete sio'. Kihe poto moe pāte'i 'ae tangata' hono faiva'. Siuhuuuu fakalongolongo pe, taha eni kuo ma'u. Fusi mai e heu' kae tangi pe peka'. Tau e hāmala' he 'ulu' pea 'osi na'a ai pe. Takai mai e kapakau' pea li hifo ki lalo. *Patu'.*

He's up very high, as high as one and a half storeys, and he's right at the top where he's found a place for himself and his pole.

'Oku mā'olunga 'aupito hono nofo'anga', hange' ha fungavaka e taha moe konga nai, pea tali pe ai e tama' mo 'ene fu'u heu'.

He can't go and sit too close to the end on the very small branches as he would wiggle around trying to lift his pole up and around for the catch. The longer the pole, the bigger the risk of overbalancing and toppling right down to the ground. If you don't know what you're doing, then you should not try this.

'Oku 'ikai ke fu'u nofo 'ofi ki he tauhikuhiku' he koe taimi koe' 'oku ne hiki hake ai e heu' ki ha peka 'oku puna mai, 'e sālue hono nofo'anga'. Pea koe loloa ange 'ae heu' koe toe lahi ange ia 'ene sālue', pe ko ha'ane tō ki lalo. Koia kapau 'oku 'ikai keke taukei he heu peka' pea 'oku sai keke mālōlō pe 'i lalo.

He's got to have enough length of the pole out there so he can swing it up to his prey as it won't fly too close to the tree. And yet can't expose himself too much to be seen by his prey. He's got this all worked out.

Kuo pau ke loloa fe'unga e heu' ke mama'o atu mei hono nofa'anga' kene pehe'i hake pe ki he peka', koe'uhi' he 'ikai ke fu'u puna ofi mai 'aupito ha peka' ia ki he fu'u tava'. Pea ke pulipulia fe'unga ke 'oua e sio mai kiai e peka'. Kuo ne 'osi fika'i e mingimingi'i me'a kotoape.

He knows where to sit safely without the branch breaking and how to balance the length of the pole and the weight of the prickles. All those details.

'Osi māu e me'a kotoa, ke mālohi fe'unga hono nofo'anga', loloa fe'unga moe heu' pea palanisi lelei moe talatala'amoa'. Moe ngāhi me'a fakaikiiki pehe'.

And it all works. *Thud*, one. *Thud*, two. *Thud thud*, *thud* ... Fifteen. And then when he comes down, he'll say, *Tapani, here's a couple for you.*

Pea lele lelei e me'a kotoa. *Patū*, taha. *Patū*, ua. *Patū*, *patū*, *patū* ... Tahanima. Hifo e tangata' pea ui mai, *Tapani koe ua e ma'au.*

We might grumble to ourselves, *miserable bugger, he had fifteen and he's only given us two.* But sometimes when he catches more he might give you three or four.

Mau ki'i ngulungulu pe kia mautolu, *tama anga kovi, peka e tahanima, ne lī mai pe peka e ua.* Ka 'ihe taimi ni'ihi toe lahi ange 'ae peka ne ma'u' pea ne 'omi ha peka e tolu pe fa'.

He doesn't go up there every afternoon when the flying foxes are going out, cause they might fly the other way. They fly to the wind, so when the wind is right, you think, *oh yeah I think he will be up there this evening and do his thing.*

'Oku 'ikai ke heu peka he efiafi kotoa pe he taimi 'oku nau puna ai'. Ka matangi ia meihe tafa'aki e taha' tenau puna nautolu kiai. Ko 'ene matangi lelei pe pea te pehe, *mahalo pe 'e kaka e tangata' he efiafi ni 'o heu peka.*

Uili was the only person I knew who caught peka like this. For the simple reason that he was lucky enough to have a tall tava tree close enough to our toa trees where the main colony is.

Koe toko taha pe eni na'aku 'ilo'i na'e tauhele peka 'aki 'ae founga koeni'. Koe'uhi pe ko honau fu'u tava' na'e tu'u tonu mo ofi mai ki homau 'ulu toa moe feta'u na'e fakafonu ai e fanga peka'.

Other toa trees like at our other neighbour's place, might have 30 or 40 flying foxes but there's no other big tree close by.

Na'e 'iai pe moe 'ulu toa ofi mai 'i homau kaungā'api', moha fanga peka e 30 pe 40 nai, ka na'e 'ikai ke 'iai ha 'ulu 'akau lalahi ofi ia kiai.

Uili was very ingenious with his method of catching the flying foxes. I never talked to him about it. I never talked to him really at all. You don't go and quiz older fellows like that. It's not done in a Tongan village. You watch and you join the dots but you never ask the fellow.

Koe founga tauhele peka mālie na'e ngāue 'aki e Uili'. Na'e 'ikai keu 'eke 'e au kiai. 'Oku 'ikai koe 'ulungaanga tāu ia kete 'alu 'o faka'eke'eke 'ae kakai matu'otu'a 'oe kolo'. 'Oku te sio pe, pea te ako pe mei ai.

But me and the other kids in the village know it's the talatala'amoa and we know how he uses the long bamboo pole. After he's done he just ties the pole up there for next time.

Ko mautolu e kau leka he kolo na'amau 'osi 'ilo'i katoa pe 'emautolu koe pitu heu' 'oku takai 'aki e talatala'amoa he mui fōsi'i'. Koe 'osi pe 'ene heu peka' pea nono'o pe fu'u heu' 'i 'olunga 'o tuku ai pe ki ha 'aho e taha.

I don't remember anybody doing this to catch any other animal. They used to catch wild pigeons by using tame decoy to lure them to come close. Then you'd whack them with a long pole.

'Ikai keu 'ilo'i pe 'oku toe ngāue'aki 'ae fa'ahinga heu koeni ki hano tauhele'i 'oha fa'ahinga manu kehe. Koe heu lupe' 'oku ngāue 'aki 'ae lupe lalata kene taki mai e fanga lupe vao' kenua ofi mai pea te toki tā'i 'aki e 'akau heu lupe.

The talatala'amoa was not used then. No need. Besides the pigeons don't have wings like the flying foxes that can stick to the prickles on the pole.

Na'e 'ikai kenau ngāue 'aki 'ae talatala'amoa'. 'Ikai ke 'aonga ia. Koe lupe foki 'oku 'ikai ke tatau honau kapakau' moe kapakau e peka' ke faingofua 'ene talaia he talatala 'oe 'akau heu'.

But it's an ideal way to catch peka when they're flying because of the big wing spans they've got.

You only need to touch their wing with the prickles and they'll stick to it.

Ka 'oku sai 'aupito ia ki he heu peka' he taimi 'oku nau puna ai' koe'uhi koe mafola lahi honau kapakau'. Ko 'ene ki'i lave pe hono kapakau he tala 'oe heu' pea faingata'a 'aupito ke toe homo ia.

It throws the flying fox's balance out of whack, and the poor fellow can't escape, as the more he tries to wrestle free the more he gets stuck to the prickles.

Pea 'ihe hahaka holo 'ae peka' ke homo', 'oku toe 'a'asili ai 'ene pipiki ki he talatala'amoa'. Pea 'ikai pe toe felave ha me'a.

You don't catch any birds like that because they either fly too fast or they don't have anything to catch on the prickles.

'Oku 'ikai fai'aki ha tauhele manupuna 'e heu'. 'Oku fu'u oma 'enau puna' 'anautolu pea 'ikai foki kenau piki ngofua ki he talatala'.

Uili originally used a straight pole without the talatala'amoa to whack them with. Same tree, same wind conditions, same goal to catch the flying foxes for dinner as they fly out to forage.

Na'ane 'uluaki ngāue 'ae va'a pitu 'ata'ata' pe 'o tā 'aki. Fu'u tava tatau pe, matangi tatau pe pea koe feinga pe na'a ma'u ha peka kenau fakaefiafi, he taimi 'oku nau puna ai ke kumi kai he po'uli'.

But the pole by itself wasn't all that good. When he hit a flying fox, breaking its wing, say, often it didn't fall to the ground but got stuck in the tree branches.

Ka na'e 'ikai ke loko sai. Koe'uhi' ko 'ene tā'i koe' ha peka pea fasi pe hono kapaka'u' pea tō pe ia 'o 'efihia mo tautau 'i lalo hifo he fu'u tava'.

Then he had to find a way to get it down. Usually by throwing sticks at it. It can't fly away as its wing is broken. Very awkward and difficult. And hurtful for the flying fox too.

'Osi ia pea toki hifo ke vakai pe'e fefe'i hifo 'e peka'. Koe founga' pe ko hono tolo 'aki pe ha 'akau ke tō hifo ki lalo. 'Ikai toe puna foki he kuo 'osi fasi hono kapakau'. Faingata'a pea fakahela'. Toe fakamamahi foki ki he peka'.

The talatala'amoa pole solved that problem.

Hanga 'ehe heu talatala'amoa' 'o solova e palopalema koia'.

Part 4: Shooting Flying Foxes and Pigs

Konga 4: Fana Peka moe Puaka

Another way to catch flying foxes is by shooting them with a shotgun. My dad Dr Sione Mangisi, had one. He bought it brand new, a 12 gauge shotgun. A Winchester it was, a beautiful looking thing, lovely and shiny and all that. The dark brown varnish woodwork on the butt was so smooth and shiny that it was a pleasure just to touch. I felt reluctant and a little scared to touch it at first knowing that this implement is sometimes used to kill people. *Ahhhh* I've been watching too many John Wayne cowboy movies.

Koe founga e taha ke ma'u ai ha'ate peka, ko hono fana 'aki ha me'afana. Na'e 'iai 'emau me'afana. 'Alu 'eku tamai' Dr. Sione Mangisi 'o fakatau mai 'ene me'afana pulumofele. Koe fu'u me'afana Uinisesitā Fika 12. Tōatu hono faka'ofo'ofa'. Koe pati' koe 'akau, 'osi vānisi ngingila pea molemole atu, pea te faka'amu kete ki'i pā pe kiai. Na'aku ki'i papaka mo taka ilifia he 'eku 'uluaki ala ki he me'afana' 'ihe 'eku

61

'ilo'i koe me'a eni 'e lava pe kete fana'i 'aki ha taha ke mate. *Seuke* ! lahi pe sio faiva 'ia Sione Uaine mo 'ene kau kaupoe'.

Of course you don't shoot at the peka roosting in the toa trees along the boulevard. You wait until the weather changes, because when it's a bit stormy or just high winds, when the peka go out to forage, a lot of them don't come back.

'Oku 'ikai ngofua foki hono fana e peka he 'ulu toa 'oe hala Po'uliva'ati'. 'Oku te tali pe ke havilivili mo hakohako he koe taimi eni 'oku 'alu ai e peka ki he vao' pea koe toko si'i 'e foki mai' koe'uhi' ko 'ene havili'.

The stronger the wind, and bad weather, the fewer that return.

Koe mālohi ange 'ae matangi koe tokosi'i ange ia 'ae fanga peka tenau foki mai'.

Toa trees don't give them any protection. Their leaves are needle thin, and only about 200 mm long, and the wind just whistles through them.

Koe 'ulu toa' 'oku 'ikai ko ha malu'anga lelei ki he fanga peka' meihe havili'. Koe lau' 'oku hange' ha hui tuitui' honou fōlalahi' pea mahalo pe ki he milimita pe 200 hono loloa'. Pea ko 'ene matangi pe pea te fanongo ki he mapu 'ae havili' he fanga ki'i lau'i toa'.

The upper branches of our toa trees and all the others where the peka have roosted for a long time are bare as the flying foxes have worn off all the leaves and bark over the years. No protection at all, but this is home.

Ko e tafa'aki ki 'olunga 'oe 'ulu toa 'ae' kuo fuoloa e tau ai 'ae peka', kuo 'osi e lau' moe kili' ia hono mulu. 'Ikai ke malu meihe matangi', ka ko honau 'api' eni.

You can hear the toa trees whistling on windy days. Soothing, like soft singing. Sometimes though it's a bit eerie. Late at night when boys like me dream about ghosts, the whistling wind makes you pull up your blanket to cover your head as well.

'Oku te fanongo pe ki he mapu 'ae matangi'. Ongo lelei hange' ha ki'i hivehiva'. Koe taimi e ni'ihi 'oku taka fakailifia. Pea koe kauleka hange' koau 'oku misi tēvolo he tū'ua pō pea te fanongo ki he mapu 'ae matangi' 'oku te 'ā hake 'o fusi hake hoto kafū kete pūlou.

So the peka stay out to shelter in the bush. But there's hardly any toa trees out there, so they use the best they can find.

Nofo pe fanga peka' he vao' 'o toitoi ai meihe matangi'. 'Ikai lahi ha toa ia ai, pea nau toi pe ha feitu'u pe 'oku ki'i malu'.

They go where they don't shelter normally, either to the leafy higher trees to get protection or in the coconut trees which are easily found there. There they roost along the spine of the coconut leaves or in the coconut head itself.

Nau toi holo pe he 'ulu 'akau 'oku 'ikai kenau fa'a lata kiai. Ka koe'uhi koe matangi' 'oku nau lata ki he 'ulu niu'. Nau tau he kalava lahi 'oe louniu' pe ko ha feitu'u pe ofi ki he 'ulu 'oe fu'u niu'.

The coconut head is not all that big. It might only be 3 metres across. They would either hang close together there, or along the main spine of the leaves.

'Oku 'ikai fu'u lahi fēfē 'ae 'ulu 'oe fu'u niu' pea nau tau ofi holo pe ai. Pe koe tau he kalava lahi 'oe louniu'.

These leaves are very flimsy so the peka can't hang on there. And they won't take the peka's weight. So they all hang in a line more or less along the spine, some six to ten of them. Not right to the tip, because coconut leaves are typically about four metres long and they will bend too far downwards. This would make it difficult for them to take flight when required.

Koe fanga ki'i lau iiki 'oe louniu' 'oku fu'u vaivai ia kenau tau ai. Koia 'oku nau tau fakaholoholo pe he fu'u kalava lahi 'oe louniu' 'oku malohi', peka e ono ki he hongofulu nai. 'Ikai kenau tau ki he hikuhiku' he tenau fu'u mamafa pea 'e ngaofe hifo e louniu 'o faingata'a ai kenau puna mei ai.

You see them, they all hang in a line from where the coconut leaf is attached to the head. A good number of them all in a row along the spine of a leaf.

Nau tau ofi mai pe ki he 'ulu', he fu'u niu'. 'Oku te sio atu pe ki ha peka e fiha, nau tau fakaholoholo atu pe he kalava lahi e lau'i louniu'.

Photograph of Flying Foxes in Coconut Tree, courtesy of Canva.
'Ata 'o fanga peka he fu'u niu . 'imisi meihe Keniva'.

And there will be leaves all around the coconut tree head so there'll be six or so hanging over this leaf and another eight over there and ten over here, on most if not all of the leaves. Depends.

'Oku louniu takai kotoa foki e 'ulu 'oe fu'u niu' pea 'e iai ha peka nai e ono ha louniu e taha pea valu ha lau e taha, hongofulu atu hono hoko mai', 'o meimei 'iai 'ae peka he louniu' katoa. Falala pe.

So that's what you look for. You want to shoot at the tree that has the most. And you aim to catch as many as you can with one shot.

Koia koe me'a eni 'oku te kumi kiai'. 'Oku lata e fanga peka' he tau he 'ulu niu' 'i 'uta' he taimi 'oku hakohako ai'. 'Oku te kumi e fu'u niu 'oku nau toko lahi taha ai' kete fana kiai'. Koe 'ete taumua' foki kete ma'u e peka toko lahi taha meihe 'ete fo'i fana pe 'e taha.

The shotgun is not like a rifle with only one bullet. Instead each cartridge is full of lead pellets about 3 mm round and by the time the pellets reach the flying foxes some 30 meters away, the pellet spray would cover maybe 400 mm diameter. So all the flying foxes within that 400 mm area will get hurt or die and fall to the ground.

Koe me'a fana pulumofele' 'oku 'ikai tatau ia moe laifolo', 'o pulu taha pe. He koe fo'i mahafu' ia 'oku fonu he fanga ki'i pulu fō iiki milimita pe e tolu nai. Pea koe taimi koe' 'e a'u ai 'ete fana' ki he fanga peka', 'i ha mita nai e 30 hono mama'o', kuo mofele e pulu', mahalo ki ha milimita e 400 hono taiāmita'. Pea koe peka kotoa pe 'oku 'ihe vaha'a koia', tenau lavea pe mate pea tō hifo ki lalo ki he kelekele'.

You choose the day. If it's calm, they're all back in the toa trees at home. Another day, bad weather, windy yesterday and last night and still pretty windy, only a few return. It's a good day. So we go out there. They're bound to be hanging from the coconut trees in the bush.

Koia, 'oku te talitali pe ki ha 'aho lelei. Ka malu', 'e foki katoa mai pe fanga peka' ia ki honau tau'anga 'i kolo'. Ko 'ene matangi kovi pe, hako 'anepo' pea kei havili pe he hengihengi', pea tokosi'i 'aupito 'e foki mai'. Koe 'aho sai eni ki he fana peka'. Pea te 'alu leva ki 'uta he tenau fakafonu pe he 'ulu niu'.

Dad and I would go out to Niuvalu, our bush land. I remember we went out there two or three times with his shotgun, and one time he let me shoot it.

Ma ō leva mo 'eku tangata'eiki' ki homai 'api 'uta' ko Niuvalu. Kou manatu'i na'a ma ō tu'o 2 nai pe 3 mo 'ene me'afana', pea ne 'omai keu ki'i fana tu'o taha.

There they all are, lots of them on the coconut trees. We took our positions there and I took aim, kind of pretending that I have shot this gun many times before. BOOM! And some five or six hit the ground.

Koe fanga peka' ena 'oku nau fonu mai he 'ulu niu'. Ma tolotolo atu ke ma toe ofi atu ki he fu'u niu' peau to'o pe me'afana' mo faka'ata ke hange' pe kuou 'osi maheni he fana peka'. PAHUUU ! pea tō hifo e peka e nima nai pe ono ki he kelekele'.

More than when we went out shooting those two other times when he did the shooting. Anyway my first and only shot was good, so we collected our catch and went home. I was about 12-13 then and at Tonga High School.

Lahi ange e peka koeni' 'ihe 'ema fana peka tu'o ua
kuo 'osi', 'ae' na'e fana ai e tangata'eiki'. Kaekehe ko
'eku 'uluaki fana'i eni ha me'afana pea mālō na'e tau
lelei. Kou tanaki e fanga peka' pea ma foki leva ki
'api. Ko hoku ta'u 12 nai eni pe 13, ko hoku 'uluaki
ta'u eni he Ako Mā'olunga 'o Tonga he taimi koia.

Of course I had no idea then that when I was older
I'd live in New Zealand and have the chance to go
hunting wild pigs, goats and deers with friends.
With my own rifle. But that's a story for another
time.

'Ikai teu lave 'iloa koe ngāhi ta'u kimui ange' 'ihe
'eku 'alu ki Nu'usila he ako', teu ma'u faingamālie
ai keu 'alu mo hoku ngāhi maheni' 'o tuli manu
kaivao, puaka, kosi moe tia. Mo 'eku me'afana
laifolo pe 'a'aku. Koe fo'i talanoa ia ki ha tohi kehe.

You only get one chance to get the flying foxes this
way. You shoot, BANG !!! and all of them on the
trees all around fly off. One shot and they're all off.
Except the ones you might have hit, they'd all fall to
the ground.

'Oku taha pe hoto faingamālie he founga ko eni'. Te fana, PAAAA !!! pea nau 'osi kotoa he puna meihe 'ulu 'akau kotoa ofi mai'. Fo'i fana pe 'e taha kuo nau 'osi kotoa he puna. Pea ko kinautolu na'e tau ai 'ete fana', nau tō kinautolu ki he kelekele'.

Some might fly up, *what was that ?* and come down again. Mind you if it's still a bit windy they don't fly too far away. But you have to wait till they settle again.

Nau puna hake pe, *koe ha e ?* pea nau toe foki hifo. Manatu'i 'oku kei havilivili pea he 'ikai tenau puna mama'o kinautolu. Kuopau kete tatali kenau nonga hifo pea te toki vakai mei ai.

And if they don't return in a hurry you might walk around to look for some more. If you're lucky you might find some close by. But really you only get one shot.

Kapau he 'ikai tenau foki vave mai pea te ki'i 'alu holo pe 'o fakasiosio pe 'oku 'iai ha toe tau'anga ofi mai. Ka ko hono mo'oni' 'e tu'o taha pe 'ete fo'i fana'.

You're not allowed to have guns, mind you. But some people do and we know who they are. They are supposed to be registered as well.

'Oku tapu foki ke 'iai ha'ate me'afana. Ka 'oku 'iai pe fa'ahinga 'oku mau 'ilo'i 'oku 'iai 'enau me'afana. 'Oku tonu foki ke lēsisita.

But Mangisi, for some reason, I don't know, he bought this shotgun. Legally. It was registered. So our gun would probably be the only one registered in the village.

'Alu pe a Mangisi 'o kumi mai 'ene me'afana. 'Ikai teu 'ilo pe koe 'ai ki he ha'. 'Osi lēsisita pea fakalao'. Mahalo ko 'ene me'afana' pe 'ihe kolo' na'e lēsisita'.

The others would have been there probably from the time of the American soldiers after World War 2. I don't know for sure but they all looked very old.

Koe 'u me'afana koe' mahalo koe toetoenga mai ia mei he taimi e kau 'Amelika' he Tau hono Ua. 'Ikai teu 'ilo'i ka na'a nau 'asi motu'a 'aupito.

The ones I remember seeing, all the varnish on the butt and the wooden frame had peeled off and the hammers looked ancient like what you'd saw in the movies, with the Red Indians fighting with the Cowboys. And that's 150 years ago.

Man with Old Gun by Elizabeth Paris Cocker.

Tangata moe me'afana motu'a ... 'Ilisapesi Pālesi Koka.

Kou manatu'i 'eku sio he 'u me'afana', kuo mafohifohi e vānisi' ia mei he pati' moe papa', pea koe hamala' ia kuo motu'a hange' koe kalasi me'afana koe na'aku sio ai he faiva tau 'ae kau Initia Kula' moe kau Kaupoe'. Koe ta'u ia e 150 kuo hili'.

The guns, you get them from wherever, from the Americans, or passed down in the family. It's the prestige even though they're hardly used, and old. And used only for killing pigs, the big ones, the fattened porkers. Or for shooting flying foxes.

Koe 'u me'afana' koe ma'u pe mei ha feitu'u, kau 'Amelika' pe koe tukufakaholo hifo pe he famili'. 'Oku 'iai e ki'i ongo makehe kapau 'oku 'iai ha'ate me'afana neongo 'oku 'ikai kete fa'a fana 'aki pea toe motu'a. Pea meimei ngāue 'aki pe ki he fana puaka, ngāhi fu'u toho'. Pe koe fana peka.

If I want a pig shot, I would send out a messenger to ask the gun owners for a favour. We know who's got the guns. You might know someone at Kolovai or Fo'ui with one.

Kapau teke feima'u ha'o puaka ke fana'i, pea ke fekau pe ha taha ke 'alu 'o kole ange ki he tokotaha 'oku 'iai ha'ane me'afana ke ha'u 'o fana'i ho'o puaka'. Mau 'ilo pe 'ae kakai 'oku 'iai 'enau me'afana'. 'I Kolovai pe ko Fo'ui.

At Ha'avakatolo there was only one person who had a gun and then later on another one. So that's two and third to us.

'I Ha'avakatolo koe toko taha na'e 'iai 'ene me'afana. 'Alu pe taimi' pea toko ua, pea tolu 'aki 'emau me'afana'.

You don't see people with guns around, not even talk about them. You just know.

He 'ikai tete sio kita ki ha taha 'oku 'alu hono mo ha'ane me'afana he kolo', pe ko ha me'a 'oku talanoa'i. Tau 'ilo pe 'etautolu.

So you say, *look Peuli go and find Sione, ask him, if he could come over tomorrow afternoon and shoot a pig for us. If he's got any bullets. Ask he could come about 1 pm.*

Pea te talaange pe, *Peuli 'alu o kumi 'a Sione 'o kole ange pe 'e lava 'o ha'u he efiafi 'apongipongi' 'o fana'i e puaka. Kapau 'oku 'iai ha'ane mahafu. Kole ange ke ha'u he taha' efiafi'.*

Oh yeah, no problem. Tell Mangisi that yes I'll be there in the early afternoon about one.

'Io talamai 'oku sai. Talamai 'e Sione ke talaatu 'e ha'u he taha' he efiafi 'apongipongi'.

When he comes in you give him a dollar or so, whatever is the going rate, four shillings for his trouble and his bullet.

Koe a'u mai pe a Sione pea ke 'oange ha'ane tola pe koe ha pe 'ae totongi maheni', silini e fa ki hono taimi' mo kumi 'aki ha'ane fo'i mahafu.

After lunch, at one o'clock Sione turns up and you call the pigs. *Ma-a ma-a*, and you crack some coconuts or put out some leftover foods. The pigs know that when you crack coconuts it's eating time.

'Osi e taha' kuo a'u mai a Sione pea ke ui leva e fanga puaka'. *Ma-a ma-a*, pea ke fahi'i ha fo'i niu motu'u pe koe laku atu ha toenga me'akai'. 'Osi 'ilo pe 'ehe fanga puaka' koe patō pe hele' ha niu motu'u koe taimi kai eni.

So you get a few coconuts with the husk. Peuli will collect a few and then bang! bang! crack them with the machete.

Tanaki mai 'e Peuli ha ngāhi fo'i niu motu'u pea kamata fahi 'aki e hele pelu' patō ! patō !

You go *ma-a ma-a* and the pigs start running, from the neighbours or from the bush, coming in from all directions.

Pea te ui pe *ma-a ma-a* pea lele mai e fanga puaka' meihe kaungā'api' pe koe vao', pe ha feitu'u pe 'oku nau 'iai.

One or two don't turn up. They've probably gone a little bit further away. But usually they go foraging not very far away from home or they're just lying around.

'Ikai ke 'asi mai ha puaka e taha pe ua. Nau ki'i mama'o atu nautolu, ka koe taimi lahi 'oku nau takai ofi holo pe 'i 'api mo tākoto holo aipe'.

The little ones, you just grab them by the legs. These are the little suckling pigs for roasting. If you want a big one, an old sow or a big porker, one of the males that's been neutered for fattening, you need a few guys to help out.

Koe fanga ki'i puaka iiki' 'oku te puke pe 'e kita he va'e'. Fanga ki'i puaka tunu'. Ka kapau ko ho'o fiemau ha fu'u sināmanu pe ko ha fu'u fufula toho, teke fiema'u 'e koe ha kakai lalahi kenau tokoni atu.

One will grab its hind legs from behind and lift them off the ground so it doesn't run off, while it's busy eating with the other pigs. Then some of the guys will help drag it away and hold it down. One will stun it with a blow to the forehead with the back of an axe then a stab to the heart under its left front leg to pierce the heart and kill it.

Drawing of Dead Pigs by Elizabeth Paris Cocker.
Puaka kuo 'osi fana'i ... 'Ilisapesi Pālesi Koka.

'E puke 'ehe toko taha e ongo va'e mui' 'o hiki ke mavahe meihe kelekele' ke 'oua e lava 'o lele, lolotonga 'enau 'oho he kai'. Toki tokoni atu kiai hono toe' 'o tohomai ki he 'ata' 'o puke ai. Hanga leva 'eha taha 'o 'ano hapo he fo'i la'e', 'aki e peku 'oha toki ke ninimo pea toki hoka'i 'aki leva ha hele 'ihe lalo fa'efine hema' ke lavea hono mafu' pea mate aipe.

We only use the guns on the very big ones because they are very powerful and hard to hold down. When you catch them, they kick with enormous force that sometimes they cut you, with their nails, they're very sharp. Remember the pig is a rather wild animal.

Mau ngāue 'aki pe me'afana' ki he fanga puaka lalahi mo kaukaua he 'e taka faingata'a hono puke'. Koe taimi 'oku mau feinga ai ke puke' 'oku fute pea 'aka mālohi pea fakatupu lavea he 'oku māsila 'aupito honau pesipesi'. Pe ko ha puaka 'oku taka hehengi.

So you need at least 4 strong adults to hold one of these down. Each will be holding on to a leg. And one will be holding a front leg and with his knee to its neck to weigh it down. They manouver it on to its side. It's wriggling and twisting, pushing and screaming loudly. All the while trying to get away.

Koia 'e fiema'u ha toko 4 lalahi kenau puke ha puaka lahi pehe ni. Nau puke taki taha ki he va'e. Pea mo ha taha ke tata'o hono tui' mo hono mamafa' ki he kia 'oe puaka' ke puke 'aki. Nau fulihi ke tokoto fakatafa'aki. Kae fute pe mo 'aka mo kekē le'o lahi e puaka'. Mo 'ene feinga ke homo 'enau puke' kae hola.

And if you try to stun it with a blow to the head with your axe, you need to be very careful as you might end hitting someone by accident. This is not kid's stuff.

Pea kapau koe 'ai ke taa'i 'aki hono 'ulu' ha toki, 'oku te matu'aki tokanga na'ate taa'i 'e kita 'o tau ha taha 'o e kau ngāue'. 'Oku 'ikai ko ha fakavā fakakau leka eni.

You can't shoot one of these with an ordinary 12 gauge cartridge. They're filled only with lead pellets, some 3millimeter round. They won't go through the skin, let alone cracking through its skull.

'Oku 'ikai fana'i 'aki ha puaka ha mahafu pulu mofele. Koe fanga ki'i pulu ia he mahafu' 'oku milimita pe 'e 3 honau fōlalahi'. He 'ikai ke hu ia he kili e puaka', pea he 'ikai teitei mafahi ai e 'ulu ia e puaka'.

A puaka toho will probably think *oh somebody's giving us a bit of a massage.*

'E pehe' 'ehe fu'u toho' ia *'ōo mahalo ko ha taha eni 'oku ne vakuvaku au.*

As there are no rifles available, we innovate. The gun man peels off the paper stop at the end of the cartridge, then pours out enough pellets so he can fit a stone marble inside on top of the pellets that are left. Then he replaces the paper stopper to seal it off again ready for shooting.

'Ikai ke 'iai ha me'afana laifolo ia, pea hanga pe 'ehe tama fana' 'o kape'i e la'i lau'i pepa tāpuni 'oe fo'i mahafu' pea hua'i kitu'a ha fanga ki'i pulu fe'unga ke hao ki loto e fo'i mapu lei'. Toe tapuni'i pe 'ae fo'i mahafu' pea maau leva ke fana'i 'aki ha puaka.

If you empty out all the pellets and put the marble in there by itself, it won't shoot out as fast. You need it to be solid and compact. So it shoots efficiently. You know it's packed well when there's no rattle. All the pellets in first than the stone marble last. Then the stopper.

Kapau teke hua'i kotoa kitu'a e pulu' pea li' pe ki loto e fo'i mapu' pe taha, he 'ikai ke oma hono fana'i 'ona. Kuopau ke panaki hono fa'o' kae oma hono fana'i'. 'Uluaki fa'o e pulu', pea fakamuimui e fo'i mapu lei' ke 'oua 'e ngalulu. Toki 'ai leva e tāpuni.

When you're going to shoot one of these big ones and call the pigs in for feeding, only the feeding master and the gunman are there. As the pigs are all busy going for the food, the gunman shoots at close range. Maybe only a couple of meters away.

Kapau 'oku ke fie fana'i ha'o puaka pea ke ui mai ke fafanga. Ko koe pe moe tama fana' temo 'iai. Lolotonga 'enau 'oho he kai', 'e fana'i leva he taimi koia. Ofi 'aupito, mahalo ki he mita pe ua nai hono mama'o'.

When you fire, the big marble hits the pig on the head, right between the eyes on its forehead or near there and kills him instantly. If it's not killed, one of the guys will finish the operation off with a knife to the heart like you do with the smaller pigs.

Koe pā pe fana' pea tau e fo'i mapu lei' he fo'i la'e 'oe puaka' pea mate ai pe ia. Kapau 'e 'ikai mate pea 'e toki faka'osi 'eha taha 'aki hono tui'i ki he mafu', hange' pe ko hono tamate'i e fanga ki'i puaka tunu'.

Part 5: Flying Foxes at Ha'avakatolo

Konga 5: Fanga Peka 'o Ha'avakatolo'

Flying foxes like to roost in toa trees. And you can find those trees growing at cemeteries mainly and near the liku beaches where the soil is sandy.

'Oku lata e fanga peka' kenau tau he 'ulu toa'. Koe toa' 'oku lahi he ngāhi fa'itoka', matāliku' moe ngāhi feitu'u 'oku tou'one ai e kelekele'.

The main road of Hihifo goes from 'Umutangata at the south to the northern end at Ha'atafu. A lot of toa trees grow along this road, especially the stretch from 'Umatangata at Fo'ui all through Ha'avakatolo right up to the end of Kolovai village. This is what we call the Boulevard. Along this section the toa trees are almost exclusively on one side of the road, the *liku* or the western side. Indeed I can think of only two exceptions, where toa trees are on the eastern side of the road.

Koe hala lahi 'oe vahe Hihifo' 'oku kamata mei 'Umutangata 'i he tonga', 'alu ai ki Ha'atafu 'i he tokelau'. 'Oku lahi e 'ulu toa 'i he hala' tautautefito ki he vaha'a hala mei 'Umutangata ki he ngata'anga 'o Kolovai'. Koe konga hala eni 'oku 'iloa koe Hala Po'uliva'ati'. Pea koe 'ulu toa' 'oku meimei tu'u kotoa pe he kauhala ki liku' pe koe tafa'aki fakahihifo'. Ko 'eku manatu' koe fu'u toa pe 'e ua 'oku tu'u 'i he tafa'aki fakahahake'.

Some of the toa trees have some flying foxes roosting on them. But not many. The largest colony lives at our place in Ha'avakatolo.

Tau holo pe fanga peka' he 'ulu toa e ni'ihi. Kae 'ikai ke fu'u toko lahi. Koe tau'anga lahi taha', 'ae' 'oku tu'u 'i homau 'api nofo'anga' 'i Hahavakatolo'.

Supposedly the main colony is located at Kolovai, at the cemetery called Pouvalu. This was because there, they are under the protection of the Estate holder, noble Ata.

Koe tau'anga' peka' 'oku tonu ke tu'u 'i Kolovai 'ihe fa'itoka ko Pouvalu' pe ofi kiai. Pea na'e pehe' pe ia 'ihe taimi na'e kei me'a ai e Tama ko Ata' 'i hono tofia'.

"Tombeau de Pangai, àHifo" by Dumont D'Urville 1826-29, New York Public Library. Possibly Pouvalu Cemetery.
Mahalo pe koe fa'itoka eni ko Pouvalu' 'i Hihifo.

By tradition, he is the custodian of the flying foxes that live there in Kolovai mainly in the toa trees at Pouvalu, and it's illegal by traditional law for anyone to kill them. Noble Ata or his delegate is the sole exception.

Koe tala 'oe fonua', ko Ata, koia 'oku ne tauhi e tau'anga peka' 'ihe 'ulu toa 'o Pouvalu, pea 'oku 'ikai ngofua ke tauhele'i pe tāmate'i 'e ha taha. Ko Nopele' Ata toko taha pe 'oku ma'u mafai ke tauhele'i 'ae peka'.

This protection is only for the peka roosting at Kolovai. Nowhere else.

Koe mafai ko eni 'oku 'uhinga pe ki he tau'anga peka 'i Kolovai'. 'Ikai kau ai ha toe feitu'u kehe.

But there are only dead people RIP in the cemetery. Locals prefer to live a little distance away.

Ka koe kau pekia pe foki 'oku 'i he fa'itoka'. Pea nofo mama'o atu e kakai ia mei ai.

That didn't matter to the flying foxes as long as the Ata stayed in Kolovai. But when he moved away to Nuku'alofa to live, there was no one around to protect them from young men with their stones and sticks. Or shanghais.

Tatau aipe ia ki he fanga peka' pe 'oku me'a 'a Ata 'i Kolovai pe 'ikai. Ka 'ihe 'ene hiki 'ana 'o me'a 'i Nuku'alofa', na'e hanga atu leva e kau talavou' ia 'o tolo e tau'anga' 'aki e 'akau, maka mo ha me'a pe. Pe ko hono fana 'aki ha sengai.

When I was a kid in the late 1950s, the toa trees at Pouvalu would have some 60 or so flying foxes staying there, way less than 100, while at our place at Ha'avakatolo, the toa trees were full of flying foxes, up to a-thousand or more.

'Ihe 'eku kei si'i hake', 'ihe 1950 tupu', mahalo ko ha peka pe e 60 nai pea si'i ange he 100 na'a nau tau he 'ulu toa 'i Pouvalu', ka 'i homau 'api' 'i Ha'avakatolo, na'e lata ki ai pe fanga peka', mahalo ki ha peka e 1000 pe lahi ange.

And I'm sure the only reason they're not all there is because the branches get overcrowded. *Sorry this hotel is full.*

Kou tui koe me'a pe na'e 'ikai ke toe lahi ange ai' koe koe'uhi' pe ko 'enau fu'u toko lahi'. *Kataki kuo fonu e hōtele koeni.*

There were so many at our place for two reasons. Compared to other places along the boulevard we had a lot of toa trees. Half a dozen or so huge ones, while other places typically had one or two maybe three at most.

Kou tui na'e ua pe 'uhinga na'e toko lahi e tau'anga peka i homau 'api'. Koe 'ulutoa 'i homau 'api na'e lahi ange ia ha toe feitu'u pe tuku kehe pe 'a Pouvalu. Koe 'ulu toa lalahi nai e 5 pe 6 i mu'a, ka koe 'u 'api koe' koe fu'u toa pe e 1 pe 2 pea tātā taha pe ka 3.

But the other reason so many peka chose to roost there was because of my grandfather, Tapani lahi. He made our place a sanctuary for them. He did this by protecting them from being preyed upon, people trying to catch them during the day when they're roosting at his home.

Koe 'uhinga lahi e ha'u 'ae peka' ki homau 'api', koe 'uhi' ko 'eku kui', Tapani lahi, mo 'ene hanga 'o 'aofi kinautolu meihe kau tolo peka'. Hanga 'e Tapani lahi 'o ta'ofi e kakai meihe 'enau tolo mo sengai e peka 'oku nofo 'i hono 'api'.

Tapani lahi was a very up and down no nonsense kind of fellow. Straight as an arrow. A man of his words, and he genuinely loved the flying foxes and his village.

Koe tangata anga maau mo faitotonu a Tapani lahi pea fai ki he 'ene lea'. Totonu pasika 'ene me'a kotoa.

Tangata falala'anga mo 'ofa he fanga peka' pea mo hono kolo' foki.

So I think this was probably the reason why he protected the peka at his place. He was a Hihifo fellow and the peka is part of the culture and history of Hihifo.

Kou tui koe 'uhinga lahi ia na'ane feinga ai ke malu'i e fanga peka 'i hono 'api'. Koe tangata Hihifo ia pea koe peka' koe kupu ia 'oe tala fakafonua moe hisitolia 'o Hihifo'.

The centre of Hihifo is Kolovai and Ata was the chief over there and the flying foxes are supposed to be roosting there. But the Ata whose granddaughter Halāevalukovi from whom Tapani lahi was descended, have both come and gone.

Koe kolo lahi 'o Hihifo ko Kolovai pea ko Ata koe ma'u tofi'a' ia, pea koe tau'anga peka' 'oku tonu' ke 'i Kolovai. Ka koe Ata ko e' ko hono mokopuna 'a Halāevalukovi na'e tupu mei ai 'a Tapani lahi', kuo na 'osi pekia kinaua, tulou atu.

Then when succeeding Ata went to live in Nuku'alofa, there was a lack of cohesion around the estate at Kolovai. I think that's when some of the locals thought it was ok to catch the peka to eat.

Pea koe kau Ata hokohoko mai' na'a nau lahi me'a pe kinautolu 'i Nuku'alofa pea taka lahi leva e ta'emaau he kolo'. Kou tui koe taimi eni na'e pehe ai 'ehe tokolahi ia 'oku sai pe kenau tolo pe 'enautolu e peka' kenau kai.

By the time I was growing up there in the 1950s nobody seemed to have much interest in looking after them.

A'u pe ki he taimi na'aku tupu hake ai he 1950 tupu, na'e 'ikai ke fu'u tokanga ha taha ia ki he fanga peka'.

But with no Ata staying there, people took their chance to raid the colony roosting at Pouvalu and elsewhere in Kolovai.

Ka koe'uhi' koe mama'o 'a Ata' pea pehe' leva 'ehe kakai e ni'ihi ko honau faingamālie eni kenau tolo

91

'enautolu e peka 'i Pouvalu' mo ha toe feitu'u pe i Kolovai.

You can't climb up their trees to catch them cause they'll all fly away. So the best way to catch them is to throw sticks or rocks at them. It's much easier in the village than in the bush because here they hang together in large groups.

'E faingata'a kete ma'u ha peka kapau tete kaka hake he fu'u toa', tenau 'osi kinautolu he puna 'oku te kei kaka hake pe kita. Koe founga' pe, kete tolo 'aki kinautolu ha me'a, 'akau pe koe maka. Faingofua ange eni ko 'enau tau fakapotanga' pea toe tokolahi. Fakahela e 'alu ki he vao'.

So you try to hit them any which way so they fall to the ground and then you can catch them and enjoy a good meal.

Koia, 'oku te tolo, pe koe ha pe ha founga. Kaekehe pe ke ma'u ha peka ke ma'u mei ai ha'ate fo'i kai lelei.

The colony wants to be safe, so they spread out away from Pouvalu and go to the toa trees along the boulevard.

Fo'i e fanga peka toko lahi hono tolo kinautolu' pea nau hola mei Pouvalu ki he ngāhi 'ulu toa pe he hala Po'uliva'ati'.

Somehow they seem to like toa trees and I guess it's probably because their leaves are not so big like other trees. Toa tree leaves are long and needle thin and only some 150 millimeter long, so there's plenty of space for the flying foxes to hang from and no big leaves to worry about. This makes it easier for them to take off and land back again without big leaves in the way.

'Oku nau lata ki he 'ulu toa' pea mahalo koe 'uhinga pe koe 'ikai ke lalahi honau lau' hange' koe 'ulu 'akau kehe'. 'Ikai ha lau'i 'akau lalahi ke fakafelefele he taimi 'oku nau puna ai' pe koe foki mai'. Koe lau'i toa' 'oku fuo iiki hange' pe ha hui tuitui' pea milimita pe 150 nai hono loloa' pea faingofua 'ange ai 'enau fepūna'aki' holo'.

You can see them. If you walk down the street, there'll be twenty here and the next tree another twenty and so on, all along the boulevard. Wherever there's a toa tree.

'Oku te sio pe he'ete 'alu he hala Po'uliva'ati'. Ki'i peka e 20 he fu'u toa koe', 20 atu he fu'u toa hoko mai'. He 'ulu toa pe he ve'e hala'.

And of course, the more you disturb the main flock at Pouvalu cemetery, the more they leave, and of course they communicate to the others, *oh yeah it's okay here, nobody throws things at us.*

Koe lahi ange hono tolo kinautolu 'i he fa'itoka ko Pouvalu', koe lahi ange ia 'enau hola 'anautolu ki ha feitu'u kehe, pea nau tala holo foki, *'oo koe feitu'u sai eni he 'oku 'ikai tolo kitautolu heni.*

Next minute it's fifteen and then twenty and more and more spread along there and fewer and fewer at Pouvalu.

'Ohovale pe kuo toko 15, pea 20 e mofele atu 'ae fanga ki'i tau'anga he 'ulu toa he hala' kae faka'au ke toko si'i hifo e tau'anga i Pouvalu'.

People want to eat them, especially in those days. Because they're hungry and peka are an easy source of protein freely available around. And why not, when no one is around, out comes your shanghai.

'Ihe taimi koia, fie kai peka e kakai. Koe me'akai lelei eni ki he sino', ma'u ngofua pea 'ikai ke totongi. Pea koe ha nai hano kovi, 'ikai pe ke sio mai ha taha pea to'o mai 'ete sengai'.

People are poor and they want to have meat, they want to eat meat. You can't have protein from eating only taro leaves every day. You can catch fish but only when the weather suits.

Koe taimi faingata'a eni, masiva he me'a kotoa. Fiema'u ha me'akai kiki ke ma'u 'ehe famili'. 'Ikai ke sai e lai lu pe he 'aho kotoa. Sai pe 'a tahi ka 'oku falala pe ia he sai 'ae tahi' ki he fāngota'.

That's fine, but red meat is the best and you depend on the few pigs that you might have and chickens if you're lucky. But on occasions, yes let's have some flying foxes.

'Oku sai pe me'a kotoa ka 'oku sai ange ha kiki kakano'i manu, pea 'oku te fakafalala pe ki ha'ate fanga ki'i puaka mo ha fanga ki'i moa. Ka 'ihe taimi e ni'ihi, sai ke tau ki'i tauhele peka.

I must say it's the most aromatic of barbecue aromas that I have ever known, despite the fact that I don't like eating them.

'Oku 'ikai teu kai peka, ka koe taimi 'oku ou nāmu'i ai ha tunu peka, 'oku fiu ta'ofi 'eku u'akai'. Tōtō atu hono namu kakala'.

I've tasted it and it's ok but I just can't stomach it. But the aroma is unforgettably beautiful, it's like smelling a nice cigar. You don't want to smoke the thing but the aroma of a good Havana stays with you for life.

Kou 'osi 'ahi'ahi'i pea 'oku sai pe ia, kae 'ikai pe ke lava keu kai. Ka koe 'alaha 'i hono tunu' 'oku namu kakala 'aupito. Hange' nai ko ha 'ahu mai ha'a fo'i sikā mei Havana. Tete manatu'i pe ia ki he 'ete mālōlō.

Tapani lahi protected the flying foxes at our place by making himself visible. He knows when there's a lot of people coming and going along the road. And those are the times of greatest threat to the roosting flying foxes.

Na'e tokanga 'aupito 'a Tapani lahi ki he tau'anga peka' 'aki 'ene 'asi holo pe 'i hono 'api'. Pea 'oku ne 'ilo pe taimi 'e toko lahi ai e kakai fe'alu'aki he hala'. Koe taimi eni e ngali lahi ai ha kau tolo peka.

So when young men are coming over from Fo'ui and Ha'avakatolo on their way to rugby practice at Kolovai in the late afternoon, Tapani makes himself visible for all to see.

Pea koe fou mai 'ae kau talavou mei Fo'ui mo Ha'avakatolo koe 'alu ki Kolovai ki he ako 'akapulu he efiafi', pea takatakai holo pe a Tapani 'i hono 'api kenau 'ilo'i.

Tapani lahi talking to young men passing by his house by Elizabeth Paris Cocker.
Ko Tapani lahi moe ongo talavou 'ihe toumu'a hono 'api' ... 'Ilisapesi Pālesi Koka

He comes out of his house and walks about there at the front out along the road. And people just don't bother the colony at such times.

Hu mai pe 'a Tapani mei hono fale' 'o takatakai holo he ve'e hala'. Pea i he taimi pehe ni', 'ikai ke teitei tokanga ha taha ia ki he taunga peka'.

Hello Tapani. Hello guys. All on their best behaviour. And no throwing things at the flying foxes.

Mālō e lelei 'a Tapani. Mālō e lelei kau tangata. Maau pe kau tama'. 'Ikai ke tolo ha taha ia ki he fanga peka'.

But if Tapani's not there, it's almost a certainty that they will throw sticks or rocks at the toa trees. And because the peka hang there in huge numbers, you've got a big target, you rarely miss.

Pea ka 'ikai ke 'iai 'a Tapani, pea koe me'a mahino pe tenau tolo peka he 'ulu toa'. Nau tau fakapupunga foki pea 'e tātā taha pe ke hala ha'ate tolo 'ata.

So if you throw a good stick there, a heavy piece of stick, with a good throw you might get five to ten of them down.

Pea kapau ko ho'o 'akau tolo' 'oku sai mo mafamafa lelei, ka tau lelei ho'o tolo', mahalo pe na'a tō hifo ha peka 'e 5 ki he 10 ki he kelekele'.

Sometimes 3 or 4 people will all throw at the same time. With a good hit you might end up with 30 of them. A good meal for young hungry footballers. The ones that fall to the ground are quickly collected and they all run off before you know what's happened.

Taimi e ni'ihi 'e tolo fakataha ha toko 3 pe 4 he taimi tatau pe. Pea ka tau lelei mahalo na'a tō hifo ha peka e 30. Mani, fo'i kai lelei eni ki he kau 'akapulu'. Nau tānaki fakavave e peka he kelekele' pea nau pulia kinautolu 'aki e vave taha'.

We know what kind of stick to use, maybe 500 mm long, with a good weight and you throw it up there. The peka don't have to die. They just need to fall to the ground so you can pick them up.

'Oku te 'ilo pe 'akau sai he tolo', milimita e 500 loloa tau pehe' pea mafamafa lelei pea te tolo 'aki'. 'Ikai ke fiema'u ia ke mate e peka'. Koe feinga pe kenau tō ki he kelekele' pea te toki puke ai.

The stick hits them, even just some of them in the group. It breaks the little branches that they hang from and they don't have time to take flight, just fall straight to the ground. They're in shock, frightened, surprised.

'Oku te tolongi pe ke tau he taunga'. Motu e fanga ki'i va'a 'oku nau tautau ai' pea 'ikai ke 'iai ha taimi kenau puna ai, nau tō kotoa pe ki he kelekele'. Nau 'ohovale, ilifia, mo teteki.

They fall down without having a chance to fly off, because they need a lot of space for take off. Not like birds who can just fly off quickly and at will.

Nau tō, 'ikai lava kenua puna he 'oku fiema'u ha ki'i 'ata' ke nau kapapuna mei ai. 'Ikai ke hange koe manu puna', ke fie puna pe pea puna.

They don't fly off easily like the cockatoos, just stand there, look around and off they go. Or the kookaburras.

'Ikai ke faingofua 'enau puna' ke hange ko ha Kokatūu', ke sio holo pe pea puna. Pe koe Kukapala'.

Or other Tongan birds, *misi* and *kulukulu*, swish, they disappear. Kingfishers.

Pe koe misi' moe kulukulu', 'ikai taimi kuo pulia. Sikotāa'.

The flying foxes when they take off, if you watch them, you'll see that they take a little time. The flying fox sort of opens up, stretches its arms, its wings a few seconds, flaps on the spot maybe half a minute then it starts to take off.

Kapau teke fakatokanga'i e taimi 'oku kapapuna ai e peka', 'oku ki'i taitaimi pea toki puna. 'Uluaki folofola atu hono kapakau' mo hono uma', ki'i faofao mo ki'i tātā pe hono kapakau' pea toki puna.

This is their thing of course. Because at the same time as it flaps its wings, it's got to unhook its feet from the tree branch as well. Or hang on tight while it's flapping.

Ka ko honau anga maheni' pe foki eni. Koe taimi 'e puna ai' kuopau ke tukuange 'ae piki hono va'e'. Pe koe piki ma'u he taimi 'oku kapapuna pe ai'.

So when they fall to the ground they can't take off to fly away. They can't fly off the ground. They have to climb up some part of the tree, to gain some height and a little space a metre maybe and hang there upside down, flap its wings, let go of the branch to fly off. All in one well coordinated action.

Ka tō ha peka ki he kelekele' he 'ikai lava ia ke toe puna. 'Oku 'ikai ke nau lava ke puna hangatonu pe meihe kelekele'. Tenau feinga ke 'uluaki kaka hake ha fu'u 'akau ke ki'i mā'olunga fe'unga, mita e taha nai mo 'ata', tautau ai, faofao pea toki puna mei ai. Nau 'osi anga pe nautolu kiai.

Tapani lahi knew the peka were an easy target. And that people would want to get as many as possible down on the ground.

'Osi 'ilo pe 'e Tapani lahi 'oku fiema'u 'ehe kakai' e peka'. Pea koe lahi taha e ngangana ki lalo' ko 'ene sai taha' ia.

Because supposedly if they are on the ground and you can catch them there, they're yours. And of course, they don't usually fall to the ground by themselves.

Koe tō pe ha peka ki he kelekele', kohai pe 'e 'uluaki a'u kiai' pea ma'u ia 'eia. Ka 'oku tātātaha pe 'enau tō ki he kelekele 'ia nautolu pe.

And when they do, that's a bit of good luck for the villagers who see them on the ground. They run up and pick them up, catch them. Take them home, cook them up and enjoy a good meal.

Ka 'iai ha peka e tō ki he kelekele pea ko hai pe tene 'uluaki fakatokanga'i ko hono pale ia 'o'ona. Lele pe kiai 'o puke, 'alu moia ki 'api 'o kai tunu 'aki.

Sometimes, it might be your dog that's lucky, and he gets there first, kills it without much fuss. And has a good meal himself. Part of living in those days.

Taimi e ni'ihi ko ha kulī tene 'uluaki fakatokanga'i' pea lele ia kiai 'o 'uusi ke mate. Pea hola ia ki ha feitu'u 'o kai ai. Koe anga ia e mo'ui' he taimi koia'.

Part 6: Preparing for the Future

Konga 6: Lotu pe mo Tō Talo

My grandfather,Tapani lahi, was the town officer of Ha'avakatolo for many years running and a very respected fellow. They nicknamed him Sione Piko, Piko for short.

Ko 'eku kui', Tapani lahi, koe 'Ofisa kolo ia 'o Ha'avakatolo he ngāhi ta'u lahi hohoko, pea na'e toka'i 'aupito ia 'ehe kakai 'oe kolo'. Pea na'anau foaki ange hono hingoa fakatenetene ko Sione Piko. Fakanounou pe ko Piko.

Piko is Tongan for bent or crooked. It's a heliaki for Tapani lahi because of his straight forwardness, what he says to you is law. And if you do it you do it and if you don't you don't, but there may be consequences, good or bad. No mucking around.

Koe piko' 'ihe lea fakaTonga' 'oku 'uhinga ia ki ha me'a 'oku 'ikai ke hangatonu, hipa pe ngaofe. Na'e muimui e kakai' kia Tapani lahi mo 'ene ngāhi lea' koe'uhi' ko 'ene hangatonu'. Kapau teke 'ai, pea ke 'ai pea kapau teke nofo pe koe pea sai pe moia. Ka 'oku 'iai e ola e me'a kotoa. Sai, pe kovi. 'Ikai ha veivei ua.

Just like Robin Hood called his friend Little John because of his size, a giant.

Hange' pe ko hono hanga 'e Lopini Huti 'o ui hono kaungātangata' ko Sione Leka, koe'uhi' ko 'ene fu'u sino lahi faufaua'.

But he was fair and kind. He wasn't a big fellow, maybe 1.8 meters tall, of slight built but pulled his weight and provide sound leadership and people respected him.

Ka koe tangata anga 'ofa mo faka'atu'i. 'Ikai ko ha fu'u siana lahi, mahalo pe ki he mita e 1.8 mā'olunga. Sino pahapahau pe, ka na'e mohu fakakaukau lelei pea toka'i ai ia 'ehe kakai 'oe kolo'.

And Tapani lahi loved his village, the district and his country. He also worked very hard to look after his family's welfare and in education in particular. He had goals.

Pea na'ane mo'ui 'aki hono kolo', vahenga' pea moe fonua' foki. Ka koe lahi taha 'ene tokanga' na'e foaki ma'a hono famili' pea tautautefito ki he 'enau ako'. Na'e 'iai 'ae taumu'a ki he mo'ui'.

Tapani lahi and one of his grandsons, Tapani si'i, by Elizabeth Paris Cocker.

Ko Tapani lahi mo hono mokopuna ko Tapani si'i ... 'Ilisapesi Pālesi Koka.

He planted his land at Niuvalu thinking of the future of his grandchildren as well as the family's immediately needs. So among the taro, yam, manioke, and kumala, he planted all sorts of fruit trees like mandarins and tava trees. These are important traditionally, and they take a longer time to grow and he knew they live for decades. He foresaw their fruits being harvested every season by his grandchildren and great grandchildren. Future generations.

Ko hono 'api 'uta' Niuvalu, na'ane ngoue'i, ki he ngāhi fiema'u 'oe 'aho ni pea moe 'apongipongi foki. Koe fakatu'amelie ma'ae kaha'u 'oe fanau' moe makapuna' foki. 'Ikai ngata pe he talo, 'ufi, manioke moe kumala, ka na'e kau ai moe ngāhi 'akau fua hange' koe molipeli' moe tava', 'oku tuai 'enau tupu', ka 'oku nau tolonga 'o laui ta'u lahi ke toli mo kai mei ai 'ae kaha'u 'oe famili.

He planted mandarins, oranges, breadfruit, wild apples and coconuts. Also bamboo, chestnuts, and koka and pipi trees. Also a huge avocado tree. It was a wonderful garden, with rich soil and full of all sorts of plants and trees.

Na'e lahi e molipeli', fu'u molikai, mei, 'apele vao, moe niu' foki. Na'e 'iai e fu'u pitu, ifi, koka moe pipi. Moe fu'u 'āvoka lahi faka'ulia. 'Api faka'ofo'ofa mo kelekele mo'ui pea fonu he 'akau kehekehe.

I climbed many of these trees and enjoyed the wild apples and the big juicy mandarins when in season.

Never stopping to think of the love, foresight and sweat that went into his garden. Such is love. And of course he is long gone now.

Na'aku 'osi kaka he meimei katoa 'oe 'ulu 'akau', 'o toli e 'apele' moe molipeli' 'i honau to'u kai'. 'Ikai keu teitei fakakaukau ki he 'ofa moe sio lōlōa moe kakava tō kelekele, 'oe tokotaha na'e 'a'ana 'ae ngoue'anga'. Koe 'ofa' eni. Fuoloa 'ene puli' 'ana.

He was renowned for his expertise and persistence in going fishing and fishing for a particular fish called *'ulutuki*. He would go out mid afternoon and return only when it gets dark. They only grow to about 300mm long, 1 foot in imperial measurement, but there is a season and a time to catch them. Very good eating fish too.

Na'e pehe' ko hono faiva e tau *'ulutuki'*, pea fa'a 'alu he efiafi' ki tahi, toki foki pe kuo po'uli. Koe fa'ahinga ika eni 'oku 'ikai fu'u lalahi, mahalo ki ha fute pe 'e taha. 'Oku 'iai pe hono taimi pea koe ika ifo 'aupito ki he kai'.

And he would just stand there on the rocky part of the shore at the our village beach front, Māmeisinimani, for hours at a time. He'd throw out a line and watch and wait, patiently waiting for a fish to bite. To provide something for his family's evening meal.

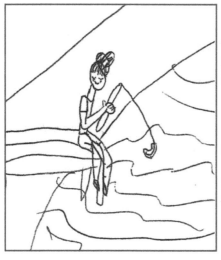

Tapani lahi fishing at Mameisinimani beach by Elizabeth Paris Cocker.

Ko Tapani lahi 'oku fai 'ene taumāta'u 'i homau liku ko Mameisinimani ... 'Ilisapesi Pālesi Koka.

Pea 'alu pe 'o tu'u he makamaka he fanga ko Māmeisinimani', he houa efiafi kakato. Lafo pe 'ene mātā'u mei ai mo tali pe 'e tosi ha ika pe 'ikai. Koe si'i feinga ha kiki ki he 'enau kai efiafi'.

He was very dedicated to his church and education as well. He firmly believed that education is the key and the means for social mobility and personal enlightenment.

Na'e fu'u tokanga 'aupito 'a Tapani ki he ngāhi ngāue 'ae siasi' pea pehe' pe ki he ngāhi me'a fakaako'. Na'a ne taukave'i koe ako' koe hala ia ki he fakalakalaka', ki he mo'ui', pea moe maama foki ki hoto 'atamai'.

He thought that the more educated you are, the more likely you are to move forward with regard to leadership in the village and relationships with the other villages and the government and all of that.

Na'ane tui koe lahi ange 'ete 'ilo', koe lahi ange ia hoto faingmālie ki he laka kimu'a' mo foaki ha taki lelei ki he kolo', vahenga' pea moe pule'anga' foki.

Tapani lahi and his wife 'Atelaite Lupe Tōlelei had four children that we can recall, two boys and two girls. Only the oldest two survived into adulthood, and it is thought that the two little ones died during the flu epidemic that hit Tonga from 1918 -19.

Na'e 'iai e fānau e toko fā 'a Tapani lahi mo hono hoa' ko 'Atelaite Lupe Tōlelei. Ua tangata moe ua fefine. Koe toko ua lalahi' pe na'a na hao mei he mahaki faka'auha 'oe 1918-19. Koe ongo ua iiki' na'ana pekia 'ihe to'u mahaki koia'.

The children were:

- Sione Mangisi Pai Puletau Tautalanoa ki Mamana Tapani. He was the eldest, and later became Dr Sione Mangisi MD. He was my father.
- Kalolaine Lata i Fale Fehi Taukapa he Lotu Tapani. She was my aunt who became a renown church musician, the first woman choir master and conductor of the combined Hihifo district choir at the various Free Wesleyan Church competitions on the church calendar.
- Ngasē Ata Tapani. Male, died in childhood.
- Mele Fatai Tapani. Female, died in childhood.

Koe tu'unga fanau' eni:

- Sione Mangisi Pai Puletau Tautalanoa ki Mamana Tapani. Koe ia na'e lahi taha' pea na'ane hoko koe Toketā sino. Ko 'eku tangata'eiki' eni.

- Kalolaine Lata i Fale Fehi Taukapa he Lotu Tapani. Ko hoku mehikitanga' eni pea na'ane hoko ko e tu'ukimu'a 'ihe mūsika hiva'. Pea na'ane ako'i mo tā hiva 'ihe kau Hiva Fakatahataha 'ae vahenga Kolovai' 'ihe ngāhi sivi hiva fe'au'auhi 'ae siasi'.
- Ngasē Ata Tapani. Tangata, ka na'e pekia kei si'i pe.
- Mele Fatai Tapani. Fefine, ka na'e pekia kei si'i pe.

Sione Mangisi and Kalolaine, the two surviving children, were both very bright and capable at school and went on to obtain the Māmaloa and Loumaile certification awarded at the time.

Ko Sione Mangisi mo Kalolaine, koe ongo ua pe eni na'a na mo'ui' 'o lalahi', pea na'a na fu'u mālohi 'aupito he ngāhi me'a fakaako', pea na'ana hoko atu 'o lava lelei 'ena a'usia 'ae tu'unga faka'ako koia koe Māmaloa moe Loumaile', 'ihe taimi koia'.

This was not easy. Money was very scarce, and the family found it very hard to make ends meet with both children at critical points of their schooling.

Koe taimi faingata'a eni. Honge pa'anga 'aupito e fonua' pea na'e tofanga tatau aipe moe famili 'o Tapani lahi' 'i he takitaha feinga ke totongi 'ae ako 'enau fanau'.

A lot of people had to pull their children out of school because like Tapani lahi they struggled to find money for school fees as well as feeding their families.

Na'e lahi e ngāhi famili na'e 'ikai pe ha toe founga ka koe nofo 'a e fānau mei he ako'. Kuo pau pe foki ke 'uluaki ma'upe 'ae tokanga' ki he mo'ui' fakasino' 'ae famili'.

Tapani lahi was one of the few in the district who owned a horse and cart, the main tool for work to sustain the family. Eventually it came down to this: should he sell his cart so he can pay the school fees?

Na'e kau 'a Tapani lahi he ki'i toko si'i he vahenga na'e 'iai 'enau hoosi moe saliote uta. Koe ongo tefito'i me'a ngāue eni 'aha tangata ki he tauhi hono famili'. Koe fehu'i leva: 'E fakatau atu 'ene saliote' ke totongi 'aki e ako 'ene fānau'?

The story goes that he thought long and hard, did some soul searching. In the end it was clear to him that his children's education was more important than keeping his cart.

Ko hono talanoa'i 'oku pehe', na'a ne fakakaukau mo fifili pe koe ha e me'a kene fai'. 'Ihe 'ene 'osi ange', na'e mahino 'aupito kiate ia, 'oku mahu'inga ange 'ae ako 'a 'ene fanau' 'ihe saliote'.

He could find another way to replace the cart and to manage his garden but he knew that he would never be able to replace the opportunity for his children's education.

'E toe lava pe ke ma'u ha saliote 'amui ange pea 'e lava pe mo 'uta ia. Ka, ka mole 'ae faingamālie ke ako'i 'ene onga tamaiki', he 'ikai toe ma'u ha faingamālie pehe' ia.

The cart was sold. The school fees paid. And life goes on.

Na'e fakatau atu e saliote'. Totongi moe ako'. Pea hoko atu e fononga'.

Education in our family remains a top priority to this day, just as Tapani lahi wanted.

Koe ako' koe taha ia e ngāhi me'a mahu'inga ki he famili', hange' pe koe me'a na'e mo'ui 'aki 'e Tapani lahi'.

Later on, in the 1950's, when I was growing up in the village, and Tapani lahi had passed on, there was another cart and three horses at our place.

'Ihe 'eku kei si'i hake he ngāhi ta'u kimui 'oe 1950 tupu', kuo fuoloa e puli atu 'a Tapani lahi ia ka na'e 'iai e saliote uta fo'ou moe hoosi e tolu 'i homau 'api'.

And Tapani lahi's son was now Doctor Sione Mangisi MD. The only medical doctor in the whole of the Hihifo district for many years.

Pea ko hono foha' ko Toketā Sione Mangisi MD. Koe toketa' sino pe ia e taha 'ihe vahefonua' 'ihe ngāhi ta'u lahi.

And his daughter was the first female choirmaster and conductor of the church's Kolovai district combined choir. And the artist who designed and fabricated the ngatu kupesi known as the *Hala Po'uliva'ati'*.

Kalolaine Tapani conducting the combined Free Wesleyan Church choir of the Kolovai District, at Centenary Church, Nuku'alofa. Family photograph.
Kalolaine Tapani, 'ihe 'ene taa 'ae Hiva Fakatahataha 'ae vahe Kolovai 'i Saione Fo'ou, Nuku'alofa. Meihe famili Mangisi' .

Pea ko hono 'ofefine', koe 'uluaki Fefine Faihiva mo Tāhiva ia 'ae siasi' 'ihe kau Hiva Fakatahataha 'ae vahe Kolovai'. Pea koia foki na'ane fatu mo fo'u 'ae kupesi ngatu 'oku 'iloa koe *Hala Po'uliva'ati'*.

And people are still talking about the story. Even to this day it has become part of our village story and folklore, as alive as the *Lotu Pe Mo Tō Talo*.

'Oku kei manatu'i lelei pe 'ehe kakai' e fo'i talanoa'. He kuo hoko ia koe konga 'oe to'onga mo'ui moe tala 'oe vahe fonua' 'o hange' pe koe *Lotu Pe mo Tō Talo'*.

Some of Tapani lahi's grandchildren and great grandchildren riding on Mangisi's cart with village children, 1973. Mangisi family photograph.

Koe fanga mokopuna 1 moe 2 'o Tapani lahi moe kau leka kehe pe mei Ha'avakatolo 'oku nau heka he saliote 'a Toketā Sione Mangisi, 1973. 'U tā 'ae famili Mangisi'.

Part 7: Village Affairs

Konga 7: Ngāhi Ngafa Fakakolo'

In Ha'avakatolo Tapani lahi wasn't just a revered elder in the sense of being one of the older people in the village. As the town officer he had extra authority as far as the law is concerned. He had the power to carry out what the government wants and also could report you to the police.

Na'e toka'i 'a Tapani lahi 'ihe kolo' 'o 'ikai ngata pe koe'uhi ko hono ta'u motu'a' ka koia na'e 'ofisa kolo' foki. Pea na'e 'iai 'ae ngāhi mafai kehe kene fakahoko ha ngāhi tu'utu'uni pe ko ha ongoongo fakapule'anga. Pe ko hano launga'i ha taha ki he kau polisi'.

He would hold town meetings. These were the days when there were no newspapers or radios. So he would get one of his cousins to go and walk up and down the village, calling people to meet and shouting out the agenda. Like the old towncryers in Britain way back when.

Na'ane ui e fono'. Koe taimi foki eni na'e ikai ke 'iai ha nusipepa pe ha letiō ia. Pea ne fekau pe ha taha ke 'alu 'o uiaki'i e fono'. 'Alu pe tokotaha koeni 'o kailangaki'i e fakaikiiki 'oe fono'. Hange' pe koia na'anau fai 'i Polata'ane he kuonga kimu'a atu'.

Of course you have to have a fairly loud voice and one of his cousins, Mahe, used to go and do the town crying for him. Just going from one end of the village to the other, stopping at certain points and shouting out the messages at the top of his voice. It would usually be in the evening when people were at home having had their evening meals.

Kuopau pe foki kete le'o lelei pea toe le'o lahi pea na'e 'iai pe hono famili, ko Mahe, pea koia na'e fa'a 'alu 'o fai e *uiaki*'. Koe luelue pe mei he mui kolo koe' ki he mui kolo e taha' pea tu'u tu'o tolu pe fa', 'o kailangaki'i e fanongonongo'. Kaila 'aki pe le'o lahi taha'. Koe taimi uiaki' 'oku fa'a fai he kamata pe ke fakapo'uli' pea ngali kuo 'osi e kai efiafi 'ae kolo'.

A typical message will be like:

Koe fakalea 'oe uiaki' 'oku fa'a pehe ni:

Listen carefully. There will be a village meeting next Monday called by the Town Officer. Come to the village square at 9 am sharp.

Fanongo lelei mai. Fono 'ae Ofisa Kolo' e fai he Monite kaha'u'. Fakataha mai ki he loto kolo' he 9 pongipongi' masila.

All adult male taxpayers are required to attend. Women are exempt. It's about paying your tax allotment and other government matters. All to take note.

Fiema'u e kakai tangata tukuhau kotoape kiai. Nofo pe kakai fefine'. Me'a fakau'aki moe totongi tukuhau'. Moe ngāhi me'a fakapule'anga kehe pe'. Tokanga lelei kiai.

He will shout out the message. It's already written down on a bit of paper to remind him as he walks out in the dark. There are no streetlights, so he has a little torch and off he goes to do his stuff. A mate may join him on occasions just for company, if not he just goes out alone.

Kaila le'o lahi e tangata'. 'Osi tohi'i pe 'ae uiaki' he ki'i lau'i pepa kene manatu'i pea hopo atu ki he fakapo'uli' 'o 'alu. 'Ikai ke 'iai ha māma ia he hala' pea 'oku 'alu pe mo 'ene ki'i kasa. Taimi e ni'i 'oku fa'a 'alu mo ha taha pea ka 'ikai pea 'alu toko taha pe ia.

Village town cryer shouting out messages as he walks through the village by Elizabeth Paris Cocker.

Koe tokotaha 'oku fononga he efiafi 'o fai 'ae uiaki' ... 'Ilisapesi Pālesi Koka.

Usually just two laps starting at the front of our place which is the northern end and proceeding to the other end then back again.

Koe anga maheni koe fo'i 'alu tu'o ua pe. Kamata pe 'i mu'a homau 'api nofo'anga' ki he tafa'aki fakatokelau' 'o 'alu ai ki he mui kolo e taha' pea foki mai leva.

And that's it. Monday morning they all front up to the village green. Not the whole village but a representative from each family to take note and go back to inform the rest.

Koia pe. Pongipongi Monite' pe pea nau fakatahataha mai ki he fai'anga fono'. 'Ikai koe kakai' kotoa ka koe taha pe mei he 'api, pea toki 'alu pe 'o fakamatala ki hono toe'.

He's busy but I'm here to represent the family, I'll go and tell my family after, see. It'll be ok.

'Oo 'oku nau ki'i mo'ua, ka teu toki 'alu pe 'o fakamatala kia nautolu. Ka koau pe 'oku ha'u'. Sai pe ia.

A town meeting may be called by the Noble of the village or its own town officer, but the district officer calls the meetings concerning the district. The district officer was usually a guy from Kolovai as it is the largest village in the area, but sometimes, one of the candidates from another village in the district will win.

Koe ngāhi fono fakakolo' 'oku ui pe ia 'ehe Nōpele' pe koe Ofisa kolo'. Ka koe fono fakavahe fonua' 'oku ui ia 'ehe Pule Fakavahe'. Koe Pule Fakavahe' na'e meimei ha'u pe mei Kolovai koe 'uhi pe he koe kolo lahi taha ia homau feitu'u', ka na'e 'iai pe taimi na'e fa'a ma'u ia 'eha taha mei ha kolo kehe.

The Mo'ungoloa people of Kolovai held the position of District Officer for a long time when I was growing up there during the 1950-60s. Then Ngasē from Ha'avakatolo held it for a time.

Koe kau Mo'ungloa' mei Kolovai na'anau ma'u 'ae tu'unga Pule Fakavahe' he taimi na'aku kei si'i hake ai 'ihe 1950-60 tupu'. Toki ma'u 'e Ngāse mei Ha'avakatolo he taimi e taha.

Meetings on matters regarding the government, the law and concerning the whole district were usually called by the District Officer.

Koe ngāhi fono fakavahe fonua kotoa fekau'aki moe ngāhi me'a fakapule'anga' pe fakalao', na'e ui ia 'ehe Pule Fakavahe'.

Town Officers and Nobles will call individual village meetings as they see fit regarding any matter relevant to their villages including government issues.

Koe ngāhi me'a kotoa fekau'aki moe kolo tāutaha' pe, na'e ui pe ia 'ehe Nopele 'oe kolo', pe ko 'enau 'Ofisa Kolo.

The Ha'avakatolo meetings are usually held at the clearing near the church. There's a big open area next to it and that's where they're held, under a toa tree and the large banyan tree, at the Latakofe residence where Ngasē stayed. It's like the village square and we had our village feasts there too.

'I homau kolo', 'i Ha'avakatolo, koe ngāhi fono' na'e fai ia 'ihe fo'i 'ata'ata' ofi atu pe ki he Falelotu'. 'Ihe lalo toa' moe fu'u 'ovava lahi ko ena 'i mu'a he 'api 'o Ngasē' 'aia 'oku ui ko Latakofe'. Pea na'e fai kiai mo 'emau ngāhi kai fakaafe fakakolo' he taimi koia'.

There's no prohibition on who may come. If they don't mention the women, they can still come if they want. If women are required to attend the town cryer makes a special mention.

'Oku 'ikai fakamalohi'i pe kohai 'e ngofua ke 'alu'. Kapau na'e ui koe kakai tangata' pe, 'oku kei ngofua pe ki 'alu pe moe kakai fefine' kapua tenau fie 'alu. Ka kapau 'oku fiema'u ke omi 'ae kakai fefine' pea 'e fakamahino'i mai ia 'ihe uiaki'.

Kids can go too, so long as they are supervised not to cause a nuisance running around or being noisy because there's no megaphone or sound system. You just have to talk loudly and it's usually done all sitting down.

Ngofua pe moe kau leka' ke nau omi kae tokanga'i pe 'oua tenau fu'u longoa'a. 'Ikai foki ke 'iai ha puhalea pe me'a fakale'o lahi he taimi koia. 'Oku te lea pe ke le'o lahi pea nau nofo pe 'i lalo 'o fai ai e fono'.

The noble 'Ahome'e will be sitting there on a mat on the grass with a Matāpule (Noble's spokesman) on

126

his right and Tapani lahi (the Town Officer) on his left to conduct the meeting.

Ka me'a mai 'ae Nopele', 'Ahome'e pea 'e me'a ia ha ki'i fala he musie pea koe Matapule' hono to'omata'u', pea mo Tapani lahi (Ofisa Kolo') hono to'o hema' 'o fai ai e fono'.

People sit where they like and before the meeting, the chairman who's organising the meeting, usually the Matāpule will say, *move up, move up, I don't want to shout.*

Taki taha nofo holo pe, pea kimu'a pea kamata' 'e ui atu e Matāpule', *kenau 'unu ofi mai ke 'oua e fu'u lahi e kaikaila'.*

So they all get up with their little seating mats, or whatever they bring and close in a bit. Usually you come with something to sit on as the grass may be a bit damp.

Nau mālanga hake ki 'olunga 'o 'unu'unu ofi mai mo honau fanga ki'i nofo'anga pe na'a nau omi moia. Taki taha omi pe mo ha me'a ke nofo ai he 'oku taka viku e musie he taimi e ni'ihi.

The Matāpule will open the meeting with a short introduction and a call to prayer. Then he'll elaborate on the reason for the Noble's presence and hand it over to him to deliver his messages.

Nau kamata 'aki e fakamālo 'ae Matapule' pea kole ke fai ha'nau lotu pea nau kamata leva. Ki'i fakamatala nounou pe ki he 'uhinga 'oe me'a mai 'ae Nopele' pea tuku leva kiai kene hoko atu.

After that Tapani lahi as the Town Officer will deliver any legal messages from the government and any matters he might want to say.

'Osi ia pea fai leva 'e Tapani lahi ha fakamatala fekau'aki mo ha ngāhi fekau fakapule'anga pea mo ha me'a pe 'e fie lave kiai.

The Town Officer is supposed to make a record of these meetings but whether they were ever done, and where they might have been kept, I am not sure.

'Oku totonu foki ke tohi 'ehe 'Ofisa Kolo' ha lekōti 'oe ngāhi fono pehe ni. Ka 'oku ou tui na'e 'ikai ke tohi ha me'a ia.

The meeting closes with a short prayer and everyone is dismissed.

Nau faka'osi 'aki pe 'ae ki'i lotu nounou 'o tāpuni 'aki pea nau mūtuku leva.

The Nobles need not attend all these meetings and they are mostly done by the Matāpule and the Town Officer.

'Oku 'ikai ke fiema'u ia ke me'a mai e Nopele' ki he fono kotoa, lava pe hono fai ia 'ehe Matapule' moe 'Ofisa Kolo'.

Tapani lahi with his son,
Dr Sione Mangisi (partly obscured)
and two grandsons, Tualau and
Tapani Mangisi.
Mangisi family photograph taken
in the late 1950's.

Ko Tapani lahi mo hono foha ko
Toketā Sione Mangisi (ki'i 'asi konga pe)
moe makapuna ko Tualau mo
Tapani Mangisi.
Meihe 'u tā 'ae famili Mangisi'
meihe1950 tupu'.

Tapani lahi coined and uttered the words *LOTU PE MO TŌ TALO* at one village celebration. This saying has been part and parcel of the fabric and folklore of Ha'avakatolo ever since. And when people hear this phrase they know it's about Ha'avakatolo and its people.

Na'e fa'u pea lea 'aki 'e Tapani lahi 'ae kupu'i lea koe *LOTU PE MO TŌ TALO* 'ihe taha 'o 'enau ngāhi kātoanga fakakolo'. Pea talu mei ai moe hoko 'ae kupu'i lea ni koe konga 'oe talanoa moe tukufakaholo 'o Ha'avakatolo'. Koe fanongo pe ha taha ki he kupu'i lea koe ni pea tene 'ilo leva koe me'a felāve'i mo Ha'avakatolo.

The words are very simple and straight forward. *LOTU* is what we call the church and it also means to pray. Like in saying, *let's pray, tau lotu*. And *TŌ TALO,* is simply planting taro.

Koe ngāhi fo'i lea mahino mo faingofua. Koe *LOTU'* 'oku 'uhinga pe ia ki he siasi', pe ko 'ete fai ha lotu. Hange' pe ko 'ete pehe', *ke tau lotu*. Pea koe *TŌ TALO'*, 'oku 'uhinga pe ia ki ha'ate tō ha'ate ngoue talo.

But as you'd expect the phrase, like all classic phrases or mottos, has a more profound meaning than the few words that it's made from.

Pea hange' pe koe ngāhi kupu'i lea tālā pe koe moto 'oha fonua, 'oku toe loloto atu 'aupito honau ngāhi 'uhinga'.

We were told that Tapani lahi uttered this phrase during a speech at one of the important feasting ceremonies of the Christian calendar at Ha'avakatolo.

'Oku pehe' na'e lea 'aki 'e Tapani lahi 'ae kupu'i lea ko eni ihe 'ene lea 'ihe taha 'oe ngāhi kai fakaafe fakalotu 'i Ha'avakatolo.

His theme was along the lines of:
Ha'avakatolo, we are called to be good in only one thing, and that is, Commit and Go for It. The two things go together.

Ko 'ene kaveinga':
Ha'avakatolo, 'oku taha pe hotau mo'ui 'anga', koe LOTU pe mo TŌ TALO. Ka 'oku na 'alu fakataha pe.

After his speech, it became a talking point at many kava parties and village chit chatter. Often with a bit of a laugh.

Pea koe fo'i kaveinga talanoa eni 'ihe ngāhi faikava'anga lahi 'i vahe Hihifo 'ihe taimi koia. Talanoa'i 'ihe ngāhi kolo' mo ha ki'i kakata.

When I was growing up it was often mentioned to me, because I am Tapani lahi's namesake, to tease or annoy me. I didn't like the teasing but I didn't let it affect me.

Na'e fa'a ui 'aki au koe'uhi' ko 'ema tauhingoa', koe fakamatalili pe foki. 'Ikai keu sai'ia ai, peau sio kehe pe au, 'ikai keu fu'u tokanga au kiai.

Some people would call me, *Piko lotu pe mo tō talo.* That too was meant to annoy but in fact I rather liked it. How could I get angry when people labelled me with this true saying. I was proud of my grandfather for creating it for our village of Ha'avakatolo.

Na'e fa'a ui au ko, *Piko lotu pe mo tō talo.* Na'e 'uhinga koe fakamatalili, ka na'aku sai'ia au he kupu'i lea'. Na'aku fiefia au, mo pōlepole he hanga he'eku kui' 'o fa'u, pea ne lea 'aki ha lea pehe ni, ma'a homau kolo ko Ha'avakatolo'.

Over time, his saying has become almost like the unofficial motto for Ha'avakatolo. It certainly has been a guiding light for us who are Tapani lahi's descendants.

'Alu pe taimi' moe hange' 'ae kupu'i lea' koe kaveinga mo'ui, pe koe moto ia 'o Ha'avakatolo'. 'Osi mahino pe koe taumu'a eni ia 'a hono hako'.

You pray and you work hard. *LOTU PE* means that you develop a commitment, a promise, a dedication, a resolution, a roadmap, a voyaging chart.

'Oku te lotu, pea te ngāue mālohi. Koe 'uhinga ia 'oe Lotu' kia au'. Ko 'ete fai ha tukupā, ha palōmesi, ha fuakava, ha fanau'i fo'ou, ha tofa hala, ha siate folau.

MO TŌ TALO means that then you work on it, you enact, you implement, you toil tirelessly, you persevere, you never give up, you push with all your might.

MO TŌ TALO 'oku 'uhinga ia kete hoko atu leva 'o ngāue'i, 'o fakahoko, fai fakamāatoato mo tōtōivi, lototo'a, 'oua 'e fo'i vave, teke 'aki hoto ivi' kotoa.

For me this is a call to dare to dream and to work hard to make it happen. Onwards and Upwards. Never Give up.

Koe ui eni kiate au keu loto to'a mo faiatu pe, he teu utu pe 'amui. Laka atu, laka hake, tapu e holomui.

Part 8: Our Home Kaipongipongi

Konga 8: 'Api ko Kaipongipongi'

Tapani lahi lived at Kaipongipongi on an allotment that 'Ahome'e created from his own allotment in Ha'avakatolo. And as 'Ahome'e was mostly living in Nuku'alofa, Tapani lahi ended up like his proxy doing 'Ahome'e's bidding and holding the fort for him as it were.

Na'e nofo pe 'a Tapani lahi mo 'Ahome'e 'i Kaipongipongi 'i Ha'avakatolo. Ka na'e lahilahi me'a pe a 'Ahome'e ia 'i Nuku'alofa, pea na'a na fengāue'aki mo Tapani lahi ke fakahoko 'ene ngāhi fiema'u' ki he kolo', mo tokanga'i e kainga'.

'Ahome'e had his own house, the famed *Fale Fehi'*, to the south and Tapani's house further north on the same hallowed ground known as *Kaipongipongi*. They are relatives from way back.

Na'e 'iai pe fale makehe ia 'o 'Ahome'e na'e 'iloa koe *Fale Fehi'*, na'e tu'u ia ki he tafa'aki fakatonga' pea koe fale 'o Tapani lahi' ki he tafa'aki fakatokelau', na'ana fakatou tu'u pe he kelekele tupu'a koia ko *Kaipongipongi'*. Ko hona famili pe mei fuoloa.

Tapani lahi's house was a beautiful old style Tongan house, an oval house. It was a typical Tongan main house where the mother and father live with their children.

Ko fale' 'o Tapani lahi' koe sipinga fale fakaTonga' pe, 'o fō lōlōa. Koe fale lahi eni 'oe famili' 'oku nofo ai e ongo matu'a' moe 'ena fanau'.

There were other dwellings there separate from the main house, like the kitchen, the bathhouse, food storage, an outside toilet and eventually when I was at high school, a sty for the pigs as well.

Na'e 'iai pe moe fanga ki'i fale kehe hange' koe peito, falekaukau, feleoko, falemālōlō, moe ki'i 'ā puaka. Koe taimi eni na'aku 'ihe Ako Mā'olunga 'o Tonga ai'.

These Tongan houses were built with a main rectangular room in the centre with two half circles at each end with the house making it look oval in shape. The roof is convex. The four main supporting structural posts located at the four corners of the central room were usually koka posts, because this wood ages well and the posts seem to last forever.

Koe faleTonga' 'oku 'iai e lotofale tapafā pea moe leke 'e ua, 'o taki taha he ongo tafa'aki 'oe fale'. Koe 'ato' 'oku fakangaofe kitu'a pea 'asi fōlōlōa ai e fale'. 'Oku 'iai e fu'u pou fataki 'e fā, taki taha he tuliki 'oe lotofale'. Koe koka 'oku ngāue 'aki' koe'uhi' ko 'enau tolonga', pea 'e laui ta'u pea toki fetongi.

It takes a very long time before they rot off and you probably need not change them at all. There were smaller posts holding up the curved perimeters at each end.

'Oku tolonga 'aupito 'ae koka' pea mahalo na'a 'ikai ke fiema'u ia ke toe fetongi. 'Oku iai moe pou iiki e ua pe tolu kene puke hake 'ae ongo leke he mui'i fale'.

And all the other main structural members holding up the roof, sit on top of these four posts. They were made from coconut tree trunks. You cut the outer skin off then smoothen them up, ready to be installed. Again, they were used because they last a long time as long as they don't get wet.

Koe ngāhi 'akau fata 'oe fale' 'oku ngāhi ia meihe sino 'oe niu, pea fakatākoto pe he pou' kenau fataki e fale'. Tele pe kili tu'a pea 'ai ke molemole pea fokotu'u leva. 'Oku tolonga 'aupito pe moe niu' kapau e 'ikai ke viku. Ka viku pea 'e vave 'ene popō.

The walls would be say two meters high and there as no internal ceiling per se. So one can look up and see all the intricate woodwork and can admire the coconut fibre lashings used to hold everything together, complete with the thatch roofing.

Koe holisi' mahalo pe ki he mita e ua, pea 'oku 'ikai ke 'aofi 'ae 'ato'. Ko 'ete sio hake pe ki 'olunga 'o sio ki he fata', moe kahoki', moe 'ato 'oe fale'. 'Oku te sio aipe ki he faka'ofo'ofa e sipinga 'oe lalava kafa 'oe ngāhi hoko'anga kotoape kene puke 'ae fale', kau aipe moe 'ato'.

When I was a kid the roof was thatched like all Tongan houses then with woven coconut leaves to keep the rain out. A few thatched roofs were made of *au*, made from the long leaves of the kaho canes. In later years, people replaced their thatched roofing with corrugated iron once they can afford it.

'Ihe 'eku kei si'i' na'e 'ato pola kotoa pe 'ae 'u fale Tonga', lalanga pe meihe louniu'. Koe ngāhi fale 'e ni'ihi na'e 'ato *au*, na'e lalanga eni ia meihe lau 'oe kaho'. 'Alu pe taimi moe ma'u ha pa'anga 'ae kakai' pea nau fetongi leva e 'ato honau fale' ke 'ato kapa.

House in Neiafu, Tonga, 1880-1885,

Koe fale 'i Neiafu, Tonga, meihe ta'u 1880-1885.

Photograph by Burton Bros Courtesy Getty's Open Content Program

In those days, people made the walls out of woven *kaho*. That's a type of cane, quite thin but strong and flexible compared with the other ones.

'Ihe kuonga koia', koe holisi na'e lahi hono ngāue 'aki 'ae *kaho*'. Koe fanga ki'i kofe fō iiki kae mālohi mo pepenu 'o 'ikai hange' koe kalasi kofe koe'.

Typically you'd cut them to the preferred lengths, flatten the cane by opening it up flat, to make a 12 mm round piece of *kofe* about 60 mm flat. The height would be to suit your purpose, say 1.5 to 2 meters high as you would like. Then you weave them up.

'Oku te tutu'u pe ki he 'ete fiema'u', pea fahi e kofe 'o fakamafola ki ha milimita nai 'e 60 hono fālahi' . Koe loloa' 'e falala pe mei ho'o fiema'u', mita e 1.5 pe mita e 2. Pea ke lalanga leva.

Sometimes you don't split and open them up. You just weave them up as they are. Install as required, nice and strong top and bottom and that makes the wall. Permanent wall all around.

Taimi e ni'ihi 'oku 'ikai toe fahi ia, kae lalanga pehe'i pe. 'Osi pea fokotu'u ke mālohi mo fefeka 'a 'olunga pea moe fakava'e', pea lava ia e holisi. Tatau kātoa pe he takatakai 'oe fale'.

A big fale like ours would have rollup mats on the doorways. Those were made in a similar fashion to an eating mat, the pola *fakaha'atu'ia*, where they make the big long trays from coconut leaves.

Koe ngāhi matapa' hū'anga 'oe faleTonga' 'oku tau pola'i ke lava pe ke takai ki 'olunga pea tuku hifo ki lalo kihe 'ete fiema'u'. Koe ngāhi pola fakaha'atu'ia pe', tatau pe moe pola ki he fakaafe kai pola'.

So you cut the coconut leaves to the size of the door with adequate overlaps to the sides and then you weave those up. You have the spine and the woven leaves go out for a couple of metre maybe.

'Oku te tutu'u pe louniu' ke fe'unga moe matapa' mo ha hope atu ki he ongo tafa'aki' pea lalanga leva. Mahalo pe ko ha mita 'e ua hono loloa.

After you have woven that, you split it down the spine and open it up. The woven part holds it together and the spine that you have split doesn't fray.

'Osi hono lalanga' pea ke fahi'i ia he tu'a' pea folahi. Pukepuke pe 'ehe fo'i fahi 'oe pola' pea he 'ikai ke movete ia mei he matā fahi'.

You might need three or four of these for the door curtain. You join them together by tying the split spines one to another to make one long piece so it can cover the full door opening.

Mahalo pe 'e fiema'u ha pola e tolu pe fā ki he puipui'. Pea te hokohoko 'aki leva ha maea 'ae ngāhi matā fahi' ke mā'olunga fe'unga kene kapui kotoa e matapa'.

Then you tie a pole to one of the end split spines lengthwise so you can tie that pole to the roof elements under the eaves to hold the curtain up.

'Osi ia pea ke nono'o leva ha va'akau ha'amo ki he matā fahi 'oe pola' pea ke nono'o leva e 'akau ha'amo' ki he fale' kene puke hake 'ae puipui 'oe matapa'.

There you have it and when you want it opened, just roll the curtain up and tie it up and voila. A door curtain. Reverse the action to lower the curtain.

Ko ho'o fiema'u pe ke fakaava e matapa', pea ke takatakai hake pe 'ae pola' 'o nono'o ki 'olunga. Koe puipui matapa' eni. Pea ko ho'o fie tapuni pe pea ke vete pe 'ae nono'o' pea tukuhifo e puipui'.

In ancient times reed walls like these were used as fencing for forts at Kolovai and other places.

'Ihe kuonga kimu'a atu', na'e ngāue 'aki 'ae kaho' ki he ngāhi 'ā fonua fakakolo'. Na'e pehe 'i Kolovai pea moe ngāhi feitu'u kehe pe.

The story goes, that the Hahake people came and tried to cut off the Hihifo district by digging a deep trench to separate the little strip of land that links Hihifo to the rest of Tongatapu.

Na'e pehe' 'ehe talanoa', na'e ha'u e kau Hahake' 'o keli moe feinga'i ke motuhi 'a Hihifo ia mei he fonua', mei Tongatapu.

It was said that they thought Hihifo people were too ferocious and vicious and so they tried to cut them off. Physically.

Ko hono talanoa'i koe kau Hihifo' ia na'anau fu'u kei fakapo'uli 'aupito mo fieta'a pea 'oku tonu pe ke tu'usi kinautolu ia.

Fighting and wars were fairly common in those days, we're talking about in the time when there were very few Europeans in the Pacific, including in Tonga. So people built forts at key locations in or near villages to protect everybody. Women, men, kids, animals and all were inside the fort for protection.

Koe taimi faingata'a eni, nau nofo tailiili pe mo feke'ike'i pea iku ki he tau. Koe taimi eni na'e kei tokosi'i 'aupito 'ae kau papālangi' 'ihe Pasifiki', kau aipe mo Tonga. Koia ai na'a lahi e ngāhi kolotau na'e langa he ngāhi feitu'u ke hūfanga kiai e kakai'. Fefine, tangata, fānau, fanga manu, kātoa ki he loto kolotau' 'o nofo malu ai.

Fencing and Forts, clipped from "Tonga-Tabou, Maisons des habitens", by Dumont D'Urville 1826-29, New York Public Library. Koe sipinga 'ā kolo, lalanga 'aki 'ae kaho pe koe kofe, 'ihe ngāhi ta'u 'oe 1826-1829.

They go in and out to do their gardening or into the trenches to defend their land if there's an attack. The forts meant that people could sleep safely with only a minimum of guards at night.

Nau toki fe'alu'aki ai pe ki tu'a ki he 'enau ngāhi ngoue'anga' pe koe tuli ha kakai 'oku omi ke 'ohofi kinautolu. Koe kolotau' ko honau malu'anga 'ia pea nau lava leva kenau ma'u ha mālōlō lelei mo ha ki'i tokosi'i pe kenau nofo 'o le'o he po'uli'.

We didn't always live with Tapani lahi at Kaipongipongi. In fact when we moved to Kolovai in the 1950s, we stayed at the residence at the dispensary there. But it was only a short walk away from Kaipongipongi and that meant we could spend much more time with him.

Na'e 'ikai kemau 'uluaki nofo mo Tapani lahi 'i Kaipongipongi 'ihe kamata'. 'Ihe 'emau hiki mai ki Kolovai 'ihe 1950 tupu', na'a mau nofo pe mautolu he 'api nofo'anga 'oe Toketā 'i Kolovai. Ka na'e ofi pe ki Kaipongipongi pea lahi ai e taimi kemau ō ai 'o vakai e tangata'eiki'.

Before then my father did the rounds, like most medical graduates at the time. Once they qualified they were sent to the outer islands in the north, and to Vava'u, before they were eventually transferred back to Tongatapu and to the main Vaiola hospital in Nuku'alofa.

Kimu'a ai na'e 'uluaki ngāue takai holo 'a Toketā Sione Mangisi ia 'ihe ngāhi 'otu motu'. Koe 'osi pe 'enau ako toketā pea koe toko lahi 'oku vahe holo he 'otu motu 'i tokelau', kau ai mo Vava'u pea nau toki faka'osi mai ki Tongatapu ki he Falemahaki lahi ko Vaiola' 'i Nuku'alofa.

So, after his graduation, late 1940s or so, Mangisi worked at Vava'u for quite a long time. That's where he met and married a young lady, Meleinu ki Ha'angana Mataele, from Kāmeli, Neiafu. My mother. They had 11 children, 9 survived to adulthood and 2 boys died as children.

'Osi 'ene ako' he 1940 tupu' pea ne ngāue ai 'ihe Falemahaki Ngū' 'i Vava'u 'i he ngāhi ta'u lahi. Pea ne maheni ai pea mali moe finemui ko Meleinu ki Ha'angana Mataele mei Kāmeli, Neiafu. Na'e 'iai 'ena fānau e toko 11, mo'ui e toko 9, kae pekia kei iiki e toko 2 tangata.

After Vava'u, it was on to the Niua islands where I was born. Then to Mu'a before Nuku'alofa, and then to Kolovai where we stayed at the Dispensary residence, during the 1950s.

Na'ana ngāue 'i Niua, koe motu ia na'e fanau'i ai au'. Pea hoko atu ki Mu'a Tongatapu, pea ki Nuku'alofa pea toki Kolovai 'o mau nofo he nofo'anga toketā ai', 'ihe 1950 tupu'.

Tapani lahi had passed away a while before we actually moved to live at Kaipongipongi. This was when my dad was asked to rejoin the Vaiola hospital team in Nuku'alofa. So we had to leave the dispensary residence at Kolovai and move to Ha'avakatolo. This was about 1959 as I remember going to Tonga High School catching the bus from Ha'avakatolo at the start of the school year 1960.

Na'e fuoloa si'i pe meihe mālōlō 'a Tapani lahi' pea mau hiki 'o nofo 'i Ha'avakatolo. Tupu eni meihe fiema'u ke foki 'eku tangata'eiki' ki he Falemahaki Vaiola' ki Nuku'alofa' 'o ngāue ai. Koia ai na'e pau ke mau hiki ki Ha'avakatolo 'o toki 'alu pe mei ai. Ko 'eku manatu koe 1959 eni, he na'aku 'alu pasi ki he Ako Mā'olunga 'o Tonga' mei Ha'avakatolo 'ihe kamata 'oe ta'u ako 'oe 1960.

Us kids all knew that Tapani lahi was revered and respected in the village because people were sort of scared of him. Not scared that he was going to beat them up. They kept a distance.

148

Na'amau 'ilo pe 'ihe 'emau tupu hake' koe toko taha
'a Tapani lahi na'e toka'i mo faka'apa'apa'i 'ehe
kolo'. Hange' 'oku nau ilifia'i nai. 'Ikai koe ilifia
na'ane tā kinautolu pe ko ha me'a pehe'. Nau
fakamama'o pe mei ai.

He wasn't a big fellow by any means at all, in fact
my cousins tell me now that I'm more or less the
same stature as him when he was around. Though
he was probably a bit taller, maybe 5'8".

'Ikai ko ha siana lahi, pea koe talamai kia au 'ehe
famili', 'oku ma meimei sino tatau pe. Mahalo na'e
ki'i mā'olunga si'i hake pe 'ia au ki he 5'8"nai.

Mangisi was slightly bigger and taller. He was
straight up and down too and revered in his own
way. Like Tapani lahi, they both had presence. And
people noticed and paid them respect accordingly.

Na'e ki'i sino lahi ange mo mā'olunga hake 'a Toketā
Sione Mangisi. Na'e toka'i mo faka'apa'apa'i tatau
pe moia hange' pe ko Tapani lahi', he na'ana fakatou
tonu pasika tatau pe. Na'e 'iai hona fa'ahinga

mamalu na'e fakatokanga'i 'ehe kakai', koe 'uhinga
ia 'a 'enau faka'apa'apa'i.

Presence is one of those things about people that you
know, but you don't see it, you just feel it. It's sort of
like when the chairman walks into a meeting, or the
guest of honour arrives. Everyone in the room
smartens up. But it's more than that.

Koe mamalu' koe fa'ahinga ongo 'oku te ma'u
neongo 'oku 'ikai kete lava 'o sio kiai, 'oku te ongo'i
pe. Hange' pe ko ha hūmai 'ae Sea' ki ha fakataha,
pe ko ha taha mahu'inga 'oku ha'u. Pea tau ta'utu
tonu hake. 'Oku te ongo'i pe 'ae mamalu'.

Dr Sione Mangisi, Mangisi family photograph, taken in the 1970's.
Ko Toketā Sione Mangisi, meihe 'u tā 'ae famili Mangisi' meihe 1970 tupu'.

With my father and grandfather the respect was mixed with a bit of fear I think. A recognition that each of them, in different ways, was a bit powerful. My Dad, as a doctor, and Tapani lahi as Town Officer and from their relationships with the Noble 'Ahome'e.

Koe faka'apa'apa kia Tapani lahi pea mo Sione Mangisi' na'e ua 'aki pe moe ilifia. Koe Toketā moe 'Ofisa kolo, pea mo 'ena hoko fakafamili ki he Nopele' ko 'Ahome'e.

Both men were both highly educated. Tapani lahi was a graduate of Toloa with a Maamaloa/Loumaile certificate, the highest school qualification obtainable in Tonga at the time. He had a *tapa fa* hat and a gown neatly stored in his house.

Koe 'ena tu'unga fakaako' na'e fu'u mā'olunga 'aupito. Ko Tapani lahi na'e iai hono Maamaloa moe Loumaile mei Toloa. Na'e 'iai mo hono *tatā tapafā moe kauni* mei ai.

His son, my dad, was a Dux at Nafualu in his last year of school where he studied under the renowned

Dr Harold Wood. He was awarded the annual scholarship to study medicine at Fiji Medical School.

Ko hono foha', 'eku tangata'eiki' na'e kapiteni 'i hono ta'u faka'osi' 'i Nafualu 'ihe 'ene ako ai 'ia Dr Haloti Wood. Pea ne ma'u ai 'ae hono faingamālie ke 'alu ai ki Fisi 'o ako Toketā.

Photograph of Tapani lahi's house, the Fale Lahi, Mangisi family photograph taken in the 1970's. Peuli is shown with branches of black coral retrieved from the ocean.

Koe fale nofo'anga 'o Tapani lahi', 'ihe 1970 tupu'. Ko Peuli moe 'Ovava tahi 'oku hā 'ihe 'imisi'

Part 9: Flying Foxes in Our Toa Trees
Konga 9: Peka 'i Homau 'ulu Toa'

So there we were, living at Kaipongipongi with the peka in the toa trees, but Tapani lahi was no longer with us.

Koia, mau nofo pe 'i Kaipongipongi moe fanga peka' 'ihe 'ulu toa', ka kuo fuoloa e puli atu 'a Tapani lahi ia.

We just continued to coexist. We never threw stones or sticks at the peka living there. I don't remember being told off, but we just knew it was the wrong thing to do.

Mau nofo fakataha pe moe fanga peka'. 'Ikai ke mau tolo 'emautolu 'aki ha 'akau pe ko ha maka. 'Ikai teu manatu'i hano 'itangi'i tu'o taha au ko ha tolo peka, mau 'ilo'i pe 'oku 'ikai ke ngofua.

Being a kid living with flying foxes, and not just ten or twenty but hundreds and hundreds – it quickly becomes ordinary and common place, you get used to it. It's just part of your life.

'Ihe 'emau tupu hake moe fanga peka', 'ikai ko ha peka e 10 pe 20, ka koe peka e lau ngeau – taimi si'i pe kuo te anga kita kiai. Koe konga pe ia e mo'ui faka'aho'.

Yes, the peka do have a specific odour. They smell. Like dogs have a particular smell. When relatives who stay in town in Nuku'alofa come over to visit us, they smell the difference.

'Oku 'iai pe honau fa'ahinga nanamu. Namu peka. Hange' pe koe namu kulikuli 'ae fanga kulīi'. Koe omi homau ngāhi famili mei Nuku'alofa 'o 'eva mai pea nau fakatokanga'i.

And of course they mention it a couple of times. After that they don't speak about it, but yes the peka do smell a little bit.

Nau pehe' pe 'oku namu faikehe pea 'osi aipe. 'Oku namu faikehe ka 'oku 'ikai fu'u fēfē fau.

In Tonga when you get all sweaty and smelly, you say, *namu peka*, you smell like a flying fox. It's like the smell of a billy goat, to use an animal that's more familiar. The billy goat has a male smell if you like.

'Oku ui 'ae namu pupuha' 'i Tonga koe *namu peka* nanamu hange' ha peka'. Ka 'oku ofi ange 'ae namu pupuha' ia ki he nanamu 'o ha kosi tau.

So yes they are a little stinky and of course when they hang there all day, they have to pee and poo. And they don't sort of go, *hang on a minute guys, I've got to take off further down there to the outhouse.*

'Oku nau ki'i taka namu faikehe, pea nau nofo pe heni he 'aho' kakato pea kuopau pe kenau tu'uofi mo tu'umama'o. 'Ikai ke fie 'alu pe ha peka pea ne pehē ange, *'oleva mou nofo pe heni kau ki'i laka pe ki he vao' ki tua'a'.*

No, there they are, just hanging upside down, with their butt between their legs, all pointing towards the sky.

'Ikai, nau nofo pe heni, tautau fakapeka pe, moe va'e' moe tungaiku' (tulou), hanga kotoa pe ki he langi'.

When they want to toilet, they swing themselves around, to hang with their wing claws and let go of their feet. In this position their feet and butts point downwards to the ground and heads upright to the sky. They do their business and swing back up again.

Ko 'enau fie tu'uofi pe, pe tu'umama'o, pea nau tafoki pe 'o tautau 'aki honau pesipesi he kapakau', kae tukuange honau va'e'. Pea ko honau va'e' leva moe tungaiku' (tulou) 'e hanga ia kihe kelekele' kae hanga e 'ulu' ki langi. 'Osi pe pea tafoki hake 'o toe piki 'aki pe hono va'e'.

Well before Newton came with his theories to explain the Laws of Gravity, our flying foxes of the boulevard have already worked things out. And while it was falling apples with Newton, it might have been 'peka poo' with our flying foxes.

Toki ha'u kimui 'aupito 'a 'Aisake Niutoni ia moe fakamatala'i' oe ngāhi 'Lao 'oe Kalāvite'', kuo fuoloa hono 'ilo'i kotoa ia 'ehe fanga peka 'oe Hala Po'uliva'ati'. Pea neongo koe 'āpele na'e ngangana he 'ulu' 'o Niutoni', mahalo koe pani te'epeka (tulou) na'e ako mei ai 'ae fanga peka 'a tautolu' ia.

There's always the risk that they'll poo on your washing, though there aren't too many flying about during the day. My mother works so hard to get my Dad's shirts and tupenu sparkling white for work, washing them by hand and then hanging them out on a line between the fau tree and the kitchen house.

Mau matu'aki tokanga 'aupito ki he 'emau fōo' na'a 'uli he fepuna'aki holo 'ae fanga peka', neongo 'oku 'ikai lahi he taimi 'aho'. Koe ngāue lahi 'ae fōo' pea kuo hela'ia e fine'eiki' he ngāhi e teunga ngāue 'oe tangata'eiki', sote moe tupenu hina 'o tau pe he uaea taufō i he vaha'a e fu'u fau' moe falekai'.

Washing on the line, photograph courtesy of Canva.
Koe fō kuo 'osi tau ... 'imisi meihe Keniva.

157

And you have to remember to bring them inside before the peka leave at dusk to feed, otherwise there might be poop spread over some of the washing. Very messy and very hard to get out.

Mau manatu'i pe ke hiko e fōo' kimu'a pea puna e peka he efiafi', na'a faifai pea toe 'uli meihe fanga peka'. Koe toe fakahela mo faingata'a hono toe fō fo'ou.

They chatter all day. It's not loud and you get used to it in the background. When they come back early in the mornings, there's hardly anybody around and they are much noisier.

Nau ngāngā ma'upe he lolotonga e 'aho'. 'Ikai le'o lahi pea kuo mau anga pe mautolu kiai. Nau foki mai he hengihengi', 'ikai loko 'asi holo ha taha, pea nau toe le'o lahi ange.

The trees are almost empty but there's always a few, half a dozen who hang around even at night. I think they sort of send the signals out or shine the beacon out – like a lighthouse, *we're over here.*

'Ihe po'uli' kuo nau mei 'osi kotoa he 'alu kae toe pe ha ki'i peka nai e ono pe. Kou tui koe kau le'o pe eni honau 'api'. Hange' pe ha ki'i maama kamo', mo talafi atu ha faka'ilonga honau nofo'anga ki he kau foki mai'.

They're supposed to have good night vision, or maybe it's a radar like the bats that live in dark caves.

'Oku nau lava pe foki 'o sio lelei pe he po'uli' ka mahalo 'oku toe 'iai pe moha malava kehe 'o hange koe fanga ki'i peka koe' 'oku nau nofo he ngāhi 'ana 'oku fu'u fakapo'uli 'aupito'.

But the peka in Tonga are giants compared to those, about three or four times bigger, both in wing span and body size too. The wing span of a peka would be 500-600mm across, whereas cave bats will be more like 100-150mm.

'Oku fu'u lalahi ange 'ae peka 'i Tonga ni' he peka nofo 'ana'. Mahalo pe liunga 3 pe 4 honau lalahi, tatau pe 'ae kapakau' moe sino'. Ka mafola e kapakau 'oe peka', 'e mahalo pe ki he milimita e

500–600, ka koe peka nofo 'ana' ia, mālō pe ka a'u ki he 100–150.

When they leave at dusk, they are much noisier. No doubt that they talk to each other and understand where they are heading and that, just like the whales will sing out to other whales way across the deep sea.

Nau longoa'a' 'aupito he taimi 'oku nau mātuku ai he efiafi'. Pau pe 'oku nau talanoa'i ke mahino pe tenau 'i fē he efiafi ni, hange' pe koe fetu'utaki 'ae fanga tofua'a' 'ihe vamama'o 'oe tahi moana'.

So when you're asleep in the mornings when they come back, you can hear them. But this is a familiar noise when you're living there. Same as the cocks crowing. I must say, it's much less annoying than those church bells.

Pea lolotonga 'ete kei mohe 'i he hengihengi', kuo nau foki mai pea 'oku te fanongo lelei pe kiai. Ka kuo te 'osi anga pe kita kiai. Hange' pe koe 'u'ua 'ae fanga moa'. 'Ikai ke fakahoha'a hange' koe ngāhi fu'u fafangu 'oku tā he taimi pehe ni'.

In the mornings the chooks wake you up, cause they perch on the breadfruit trees we have there near the house. Only the roosters crow. The chooks or hens only make a low chirps. Our house is not much different from all the houses in the village, but we have a lot of trees in our place.

'Ihe hengihengi 'oku fafangu pe kita 'ehe fanga moa', he 'oku nau mohe pe he 'ulu mei ofi pe ki homau fale'. Koe moa ta'ane pe foki 'oku 'u'ua'. Koe fanga motu'a moa' ia 'oku nau kotokō pe. 'Oku tatau pe homau fale' moe 'u faletonga he kolo', ka na'e 'ulu 'akaua' 'aupito.

Mango trees on the two neighbours' sides, and we have the two fetau'u trees whose fruits we used to play marbles with, two huge breadfruit trees, two strange coconut trees whose trunks were so low to the ground that you can pick the nuts from the ground, and Indian apple tree, three mandarin trees, as well as the great big toa trees at the front where the flying foxes congregate.

Ongo fu'u mango 'e ua he kaungā'api', ongo fu'u feta'u lalahi 'e ua. 'Ae' na'a mau mapu 'aki hono fua'. Ongo fu'u mei lalahi 'aupito e ua, ongo fu'u niu tokoto e ua, 'oku te a'u pe kita ki he fua' meihe kelekele'. Fu'u moli peli e tolu pea moe 'ulu toa' ki he tafa'aki ki he hala' pule'anga', 'ae' 'oku fakafonu ai e fanga peka'.

There was a separate kitchen come dining *fale* out the back behind the main house, and next to it was a huge old breadfruit tree that the chooks loved to sleep in at night.

Na'e 'iai pe 'ae fale kai moe peito makehe pe ia mei he fale lahi', na'e 'ofi pe kiai e fu'u mei na'e mohe ai e fanga moa' he po'uli'.

Hens on ladder against the breadfruit tree, photographs courtesy of Canva.
Kaka e fanga moa' he tu'unga' ki he fu'u mei' ... 'imisi meihe Keniva'.

We had a wooden ladder made and conveniently placed for them to use to climb up to their perches in the evening.

Na'a mau fa'u e ki'i tu'unga 'aki 'ae papa ke kaka ai e fanga moa' ki 'olunga he fu'u mei' 'o taki taha kumi ai pe hano ki'i tu'u'anga ke mohe ai.

It was lovely watching them all climbing up this ladder. Sometimes 5-6 all in a row. Funnily they don't use it to climb down. They just find a little clear space up the tree and just fly off and on to the ground.

Fakalata 'ete sio atu ki ha moa e 5 pe 6 'oku nau kaka laine taha hake he ki'i tu'unga'. Fakaoli koe 'ikai ke nau toe hifo pe he tu'unga'. Nau kumi pe ha ki'i 'ata' pea nau puna pe nautolu mei ai ki he kelekele'.

The ladder was a simple affair of a piece of long timber or bamboo pole about 4-5 meters long with pieces of sticks about 250 mm long nailed to it at 100 mm intervals for the chooks to use. The rung spacings prevents them from sliding off. There is a stronger and longer piece secured to the base as a stabiliser to stop it from turning or slipping off, when the hens are using it. Works quite well in fact. Built one myself.

Koe ki'i tu'unga' ia koe me'a faingofua pe hono ngāhi', koe va'akau loloa pe, pe ko ha va'a pitu mita nai e 4 pe 5, moha fanga ki'i va'akau mahalo ki he milimita e 250 loloa, 'o tuki fekolosi'aki pe, 'aki ha fa'o 'o fakavaha pe ki ha milimita e 100 nai. Toe 'ai ha va'akau mālohi ange mo loloa 'i lalo he mui ki he kelekele' kene ta'ofi ke 'oua 'e heke pe tavilo he taimi 'oku kaka ai e fanga moa'. Sai 'aupito ki he kaka 'ae fanga moa'. Na'aku ngāhi e tu'unga he taimi e taha.

The old breadfruit trees old as they are, are not as old as the toa trees I am sure. Very beautiful all the same. There was a wooden table under it where we would eat our meals sometimes, but it was used mainly for general food preparation.

Neonga na'e motu'a e 'ulu mei', na'e 'ikai pe ke nau motu'a ofiofi hake ki he 'ulu toa' 'ihe 'eku fakafuofua'. Faka'ofo'ofa kotoa pe. Na'e 'iai e tēpile papa he lalo mei' pea na'a mau fa'a kai ai he taimi e ni'ihi, ka na'e lahi pe hono ngāue 'aki' ki he feime'a tokoni'.

And the peka when they come back in the morning they all seem to be calling out to each other. I guess, it's just saying *hello it's morning,* saying hello to each other, and *how was the bush out there and the eating and feeding and things, any left for next week.*

Ko 'enau foki mai he hengihengi' 'oku hange pe ha'anau toki fe'iloaki fo'ou. Mahalo ko 'enau pehe' pe *mālō 'etau ma'u e pongipongi ni,* mo fakafe'iloaki holo *fēfē hake a 'uta, kei toe lahi pe fūa'i'akau', 'iai ha me'a e toe ki he uike kaha'u'.*

And they all just come in there, do a couple of rounds above looking for a place to land and to spend the day. Sometimes they bring whole mangoes, guavas and other fruits back for some of their friends that stayed behind.

Nau fakataha kotoa mai pe, 'ai ha ki'i takai holo 'o vakai ha fetu'u kenau tau ai he 'aho ni. Taimi e ni'ihi nau foki mai mo ha ngāhi fua'i mango, kuava, pe ko ha me'a kehe ma'ae kau le'o na'a nau nofo pe i kolo'.

Some get dropped on to the ground and sometimes we see one and get it. Have a look at it and you see it hasn't been eaten, but you see the claw marks around it. We're not supposed to eat it, but you know, we just cut off the bits with the claw marks and eat the rest. Who cares.

Taimi e ni'ihi kuo homo ha fo'i mango ia ki lalo peau 'ilo ia 'eau. Ki'i fakasiosio pe pe kuo osi kamata kai pe 'ikai. Pe ko 'ete hifi'i pe 'e kita e mata'i pesipesi' pea te kai 'e kita hono toe'. Saipe ia.

Sometimes you see a baby one clinging to its mother but babies are mostly cloaked and hidden under a wing for safety and warmth. They suckle from a nipple under each armpit of the mother. The young are a dark pink somewhat.

Taimi e ni'ihi 'oku te fakatokanga'i ha ki'i 'uhiki 'oku pipiki pe ki he 'ene fa'e'. Ka 'oku 'ikai kete fa'a sio kiai he 'oku kofukofu'i pe ia 'ehe fa'e' 'aki hono kapakau' ke malu mo māfana. Pea 'oku nau kai aipe meihe mata'i huhu 'e ua 'oe fa'e', taki taha ofi ki he ongo fa'efine'. Koe 'uhiki' oku nau lanu meimei pingiki' fakapōpō'uli.

The babies clutch on to the mother and don't hang independently till they wean and can fly off on their own. Once they can fly they are on their own. Sometimes we find some learners hanging lower from the colony and just flapping their wings, but we don't bother them.

'Oku nau nofo pe mo 'enau fa'e' kae 'oua kuo nau mavae pea lava ke nau puna 'ia kinautolu pe. Ko 'enau lava pe 'o puna', pea koe taimi ia 'oku nau mavae ai', pea taki taha puna pe 'o kumi 'ene mo'ui. Taimi e ni'ihi 'oku te sio ki he kau 'ako puna' 'oku nau tautau mā'ulalo mo mavahe ia mei hono toe', 'o nau tātā kapakau aipe, mau tukunoa'i pe.

Part 10: Feast for Everyone

Konga 10: Tofuhia Kātoa

In the villages if a peka falls to the ground and you can catch them, they're yours. Totally acceptable. As long as you don't go and disturb them. However it happens, if they fall out of their tree, you can grab them.

'Ihe ngāhi kolo' ka tō ha peka ki lalo ki he kelekele' pea ke lele koe 'o puke pea ke ma'u ia 'e koe. Saipe ia. 'Oku tapu pe hono tolo'. Koe ha pe ha 'uhinga tenau tō ai ki lalo' 'oku ngofua pe kete ma'u ia 'e kita.

Occasionally they accidentally fall to the ground, a misstep up top and they can't fly away because they are in the middle, not on the outer edges of their cluster.

Taimi e ni'ihi 'oku 'iai ha me'a 'e fehālāaki honau tau'anga pea tupu ai ha ngangana ki lalo ha fa'ahinga. Fu'u pupu mahalo 'enau nofo', pe 'oku nau kē pea tuai ke nau puna ka nau ngangana ki lalo.

So they fall to the ground and sort of flap along there, using their wings to propel themselves, just like butterfly swimming, towards the nearest tree to climb back up again.

Ko 'enau 'ihe funga kelekele' pe, tenau tāpate 'aki pe honau kapakau' hange' pe ha kakau' mo feinga ke a'u ki ha fu'u 'akau ke toe kaka hake ai ki 'olunga.

If they can climb up without being noticed by people or dogs, then they just disappear again into their midst to live another day.

Kapau 'e toe kaka hake pe ki 'olunga 'iha fu'u 'akau 'oku te'eki ke fakatokanga'i atu 'eha taha pe ko ha kulī, pea 'e toe ma'u hano faingamālie fo'ou.

But often some don't make it. Sometimes your dogs catch them and good luck to them or you race there with your dog before the peka goes up to the tree and you chase your dog away cause you want it for yourself.

Taimi lahi koe kulīi' 'oku 'uluaki a'u kiai' pea ma'u ai 'ene fo'i kai lelei 'ana. Pe ko ho'o lova kiai moe kulīi' pea ke se'e 'e koe 'ae kulīi' he 'oku ke fiema'u 'e koe 'ae peka'.

And sometimes the toa trees get a bit overloaded. Then gravity takes its natural action. A huge branch breaks. If you're lucky and get a good fall, the branch is a big one, full of peka.

Taimi e ni'ihi fu'u toko lahi pea mamafa e fanga peka'. Pea koe me'a mahino pe 'e 'ohovale pe kuo motu ha fu'u va'a lahi, fonu he fanga peka'.

Flying Foxes roosting, photograph courtesy of Canva.
Koe tau'anga Peka lahi, 'imisi meihe Keniva.

However many, 50, 200, 500, if they all fall on to the ground with that branch they can't fly away. They all clamour, butterfly swimming on the ground to the nearest toa trunk or wherever they can get up some height to try and fly away.

Peka nai e fiha, 50, 200, 500, ko 'enau tō pe ki he kelekele moe fu'u va'a toa' 'e 'ikai ke nau toe lava ke puna mei ai. Ko 'enau feinga pe mo tāpate ki ha 'akau ofi mai ke nau kaka hake ai ki 'olunga 'o feinga puna mei ai.

On a typical day there is not too much noise in the village except if there is a wedding or something like that happening or for the occasional truck driving pass.

'Oku longonoa pe 'ae kolo' 'ihe taimi lahi tukukehe kapau 'oku 'iai ha kātoanga 'oku fai hange koe mali moe ngāhi me'a pehe'. Pe ko ha loli 'oku lele hake.

All of a sudden there'd be a big CRACK and everybody would know, they'd hear it go thud on the ground with its load of flying foxes still on but all screaming with fear, and they all yell. *There's a branch broken and the flying foxes are down on the ground.*

'Ohovale pe kuo PAPĀ pe ha fu'u va'a lahi 'aupito 'o mapaki, 'o patū ki lalo ki he kelekele mei he fu'u tau'anga peka'. Le'o lahi 'ene patū ki lalo pea toe kekē foki moe fangapeka toko lahi 'oku nau kei piki pe ki he fu'u va'a toa'. Kaila pe kakai', *koe va'a kuo motu ki lalo, tau tā peka.*

And they stop whatever they were doing, run out of their houses and beeline over to the fallen branch at our place.

Tuku e me'a kotoa, nau 'osi mai ki tu'a 'o lele kotoa mai ki he lalo toa homau 'api nofo'anga'.

It doesn't matter whose place it is, but usually it's in our place because that's where most of the flying foxes hang out.

Tatau aipe pe koe 'api 'o hai, ka 'oku hoko e me'a koeni' 'i homau 'api' he koe tau'anga peka lahi taha ia.

If it happens at Kolovai at Pouvalu, the neighbours are further away and by the time they get there, the peka are halfway back up the trees and you can't catch them. Besides Pouvalu is the village cemetery and the locals do not want to go trampling all over the graves.

Kapau koe hoko eni 'i Pouvalu, 'oku nofo mama'o atu e kakai ia meihe fa'itoka'. Pea kapau tenau lele atu kiai, ko 'enau a'u atu pe kuo 'osi kotoa e fanga peka' ki 'olunga. Pea nau toe ma'ema'ekina pe he lele 'o tāmolo holo he ngāhi fo'i fa'itoka'.

I remember this clearly because one day getting off the bus back from school, there was this great big branch over there, under the toa trees near the road. And 20 or 30 flying foxes in the kitchen house that Mum has been given by the neighbours or that were caught by whoever was at home at the time.

Kou manatu'i lelei pe 'eku foki mai meihe ako', hifo meihe pasi' 'o sio atu ki he fu'u va'a toa lahi 'aupito 'i lalo he 'ulu toa' ofi pe ki he ve'e hala'. 'The fale peito' na'e 'iai mahalo ha peka e 20 pe 30. Koe ma'u mahalo mei he kaungā'api' pe ko ha taha na'e 'i 'api he taimi koia'.

All of us would have been at school of course and Dad would be at work at the hospital. And no doubt that all the neighbours would have had their catch of flying foxes. Probably much more than what we got.

Na'a mau katoa kimautolu he ako' pea 'i Falemahaki 'ae tangata'eiki' ia he ngāue'. 'Osi mahino koe toko lahi e kaungā'api' na'a nau tu'umālie he fanga peka'. Lahi ange ia he peka na'amau ma'u'.

If we've got 20, then they probably have at least double that and more because Mum is not very good at these types of things.

Kapau na'e 'iai ha'amau peka 'e 20, koe kaungā'api' ia mahalo na'anau taki 40 kinautolu pe lahi hake.

The other women around the neighbourhood they know this stuff. Mum had a fairly easy upbringing and went straight into looking after her doctor husband and children doing the washing and all those hard domestic chores.

Koe kau fefine homau kolo' 'oku nau maheni kinautolu he ngāhi me'a pehe ni'. 'Ikai ke fu'u pehe' 'emau fine'eiki' he na'e lahi 'ene mo'ua pe he tauhi hono hoa', ki he 'ene ngāue 'i he Falemahaki' pea moe 'ena fanau' foki ki he ako' moe hā fua e ngāhi me'a faka'api pe.

She wasn't well trained in housework and home maintenance and that type of thing like a lot of Tongan women in the village were. But she worked very hard and did her best.

Neongo na'e 'ikai ke fu'u taukei hange' koe kau fefine he kolo' he ngāhi me'a lahi ka na'ane fai pe hono lelei taha' ma'a hono famili. Ngāue mālohi mo tōtōivi.

All I know is I come back and there they are, flying foxes. She can't attend to them, or she's busy, so they're left until we all come back from school, light a fire, clean them up and prepare them for dinner.

Kou manatu'i 'eku foki mai ki 'api 'o sio ki he fanga peka'. 'Ikai ke 'ilo 'ehe fine'eiki' ia pe 'e fefe'i, pea mahalo na'e mo'ua ia. Pea tali pe kemau foki mai meihe ako' 'o tafu ha afi mo ngāhi e peka' kemau fakaefiafi.

There were times when a relative comes and helps out with the washing and other heavy works at home. If they happen to be there, Mum would ask them to dress the peka cause they know how to do it. Otherwise we do it.

Taimi e ni'ihi na'e fa'a ha'u e taha he famili' 'o tokoni ki he ngāhi ngāue faka'api' hange koe fōo' moe ala' me'a pehe'. Kapau na'e 'iai ha taha he 'aho koia' na'e mei kole pe 'ehe fine'eiki' kene ngāhi mo lolo'i e peka'. Ka 'ikai pea 'e tali pe kia kimautolu.

So once they're caught, you cook them in coconut milk and they last for the next couple of days maybe. You cook them that day, you don't hang them out to dry in the sun, like you do with octopus and fish sometimes. You don't dry them up like that.

Ko hono ma'u' pe pea lolo'i pe he 'aho koia' pea koe fo'i kai lelei ia ha 'aho e ua nai. 'Oku haka pe he 'aho koia'. 'Oku 'ikai ke sai ia ke fakamōmoa he la'aa' hange ko ha feke pe ko ha ika. 'Ikai ke sai ia ke fakamōmoa pehe'i.

With fish and octopus you can dry them up for later, but not the flying fox. Mainly because there's no need. You eat them in a day or two as you don't catch them all that often.

Koe ika' moe feke' 'oku sai 'aupito ia hono fakamōmoa' ke tolonga ka 'oku 'ikai sai e peka' ia ke fakamōmoa. Koe 'uhinga e taha', temau kai pe, pea 'e 'osi kotoa ha 'aho pe 'e taha pe ua he 'oku tātātaha pe foki hono ma'u'.

During the whale season you might get half a sack of whale meat, like a quarter of beef say. You bake that in the 'umu and it keeps for 2-3 weeks. Then you just get some as you need to and you cook it up with coconut milk.

Koe taimi 'oe hoka tofua'a' 'oku fa'a ma'u mai ha'amau fu'u konga tofua'a'. Mahalo ko ha mui'i

tangai, hange' pe ha 1/4 'oha pulu nai. Ta'o ia 'iha
'umu ke tolonga pea fe'unga ia moha uike 'e 2-3 nai.

With the whale meat you can also chop them up in
slices and salt them and they keep for two or three
months. Similar to how we salt the meat from the big
pigs, the puaka toho.

Fa'a hanga pe 'ehe tangata'eiki' 'o helehele 'ae
tofua'a' 'o fakamasima'. Pea mau kai ia ha mahina e
2-3. Tatau pe mo hono fakamāsima e kakano'i manu
hange' ko ha puaka toho.

We dress the peka using an open fire. We light it and
while the flames are still high, singe off the parts you
don't eat, the wing skin and the body hair. Give it a
good rub off.

Ko hono ngāhi e peka' 'oku 'ai pe he afi 'oku kei
mālohi. Tafu pe, pea lolotonga 'ene kei ulo lahi' pea
te hunuhunu leva hono kapakau' pea moe fulufulu
hono sino'. Tafitafi'i ke ma'a.

Then you dress them, a cut from at front, from the neck to the bottom. with the offal and other bits tossed over to the dogs. They're happy to share.

Pea te fahi'i leva meihe fatafata' ki lalo, pea li atu e me'a 'oku ikai ke fiema'u' ma'ae fanga kulīi' kenau kai. Nau fiefia honau inasi'.

So if you've got one, two or three flying foxes you can cook them there on the fire. You put them on the hot embers when the fire dies down and roast them like that. Nothing else, straight on top of the embers. The open side then the skin side till cooked and ready to eat. Tap off any embers that may have stuck to it then all ready.

Kapau ko ho'o peka pe 'e taha, pe ua, pe tolu, teke tunu ai leva pe 'e koe he malala 'oe afi'. Ueue'i holo pe 'ae malala' ke toka lelei pea tunu ai. 'Uluaki tunu e tafa'aki ki loto' pea toki fulihi ki he tafa'aki ki he kili', 'ikai toe fiemau'a ha me'a. Ko 'ene moho pe pea ki'i tātāa'i ha malala 'oku kei piki ai pea maau leva ki he kai.

179

The fire is usually made out of dried guava wood and coconut shells as they make the best embers for this type of cooking. The hard shell that's left after you scrape off the coconut flesh.

Koe afi' sai taha kihe tunu peka' 'oku fa'a tafu 'aki ha fefie kuava mo ha nge'esi niu. Sai 'aupito 'ae malala ki he feitunu pehe ni'. Koe nge'esi niu pe mei he 'osi 'ae vau niu'.

They burn beautifully for the singeing process. When all the flames of the fire have died down you are left with the beautiful embers. It's like coke or coal and these are the embers to use. They stay hot for a long time.

Afi ulo lelei mo sai ki he hunuhunu'. Ko 'ene matemate hifo pe 'ae afi' pea toe leva 'ae malala faka'ofo'ofa ki he tunu'. Hange pe koe malala papālangi', 'o 'ikai ke mate vave.

Other woods and the coconut husks are no good because they're very easily turned into ash and cool fairly quickly. Besides the ash will get into your food.

'Oku 'ikai loko sai e pulu hoka' moe ngāhi fefie pehe'. 'Oku nau vela pe pea efuefu vave mo mate ngofua. Pea toe hū e efu ki he 'ete tunu'.

So using the coconut shells, when it is flaring up you singe the flying foxes in the flame, the wings and things. Once all the hair is burned off, dress them up, you just flatten it out and put it on the open fire.

Koe ulo hake pe 'ae nge'esi niu pea te hunuhunu leva e kapakau' moe fulufulu' pea fakama'a. 'Osi pe ia pea fahi'i pea folahi 'o hili pe he funga malala' 'o tunu ai ke moho.

And you get the most beautiful aroma. It sticks in my mind all this time to this day. Not only me, people when we talk about food at a BBQ, the peka aroma may come up, one may say, *oh beautiful smell, most beautiful aroma.*

Pea koe tōatu hono namu kakala'. Kou kei manatu'i lelei pe 'ae namu kakala koia 'o a'u ki he 'aho ni. 'Ikai koau pe, ko 'emau talanoa atu ha kaitunu, 'e 'ai hake ha'a taha, *koe namu kakala 'oe tunu peka' 'oku tika taha'.*

181

So you open it up, place it face down first and leave it there to cook, you check after a time, lift it up and have a look, and if ok, turn it on the other side, and it will actually burn off all the skin as well and when it's cooked enough, you take it out from the fire.

Koia, fahi'i pe pea folahi 'o fakahanga ki lalo 'o ki'i tuku ai, ki'i vaka'i pea fulihi kapau kuo moho pea 'e vela aipe moe kili' ia. Moho pe pea to'o leva meihe afi'.

Give it a final brush with a knife or something to clean off any bit of the embers. And there you have it. Doesn't take long to cook.

Ki'i tātāa'i 'aki e hele' pe ko ha me'a pe na'a 'oku kei pipiki ai ha fanga ki'i malala. 'Osi leva. 'Ikai ke fuoloa hono tunu' kuo moho.

But when you've got a lot of flying foxes, you cook them differently. You prepare them like before, but after you singe and dress them you also pull off the skin and give those to the dogs. You'd need a bigger fire to roast 20 or 30 so it's better to cook them all in a pot with coconut milk.

Ka kapau 'oku lahi e peka ke ngāhi', pea 'oku saiange ke lolo'i. 'Oku tatau pe mo hono ngāhi ke tunu', ka kapau koe 'ai ke lolo'i pea na'amau hunuhunu pea tatala 'ae kili' 'o lī ia ma'ae kulīi'. Tafu ha afi lahi ange ki hono hunuhunu' kapau koha peka e 20 pe 30, pea 'osi pe hono ngāhi' pea fakafonu ki ha kulo lahi mo hano niu lolo'i.

No electricity in the village in those days thus no fridge either so all the catch has to be cooked so they don't go bad and we can eat them today and the next day or two.

'Ikai foki ha 'uhila he taimi koia' pea 'ikai ha 'aisi ke tuku ai ke tolonga. Koia kuopau ke haka lolo'i kemau kai he 'aho ni moe 'aho hoko mai'.

We used to have a big pot, a 4gallon cast iron pot, and the 20-30 flying foxes will all go in there and you boil them all up. They will be eaten by our family in 2-3 days and there'll nothing left.

Pot on open fire, Mangisi family photograph taken 2012.

Koe kulo 'ihe tofunanga', meihe 'u tā 'ae famili Mangisi' meihe 2012.

Na'e 'iai 'emau fu'u kulo ukamea lahi, kālāni e 4, pea na'e hao kotoa pe kiai ha peka 20-30 'o lolo'i ai. Mau toki kai pe mei ai. 'Aho pe 'e ua pe tolu kuo 'osi ia.

If any food starts to go bad, there was always our ever-hungry pigs, dogs, cats, chooks and ducks who were always happy to receive any left over from us. Nothing is wasted and we should not.

Kapau 'e kamata ke mafu ha me'a, na'e 'iai pe moe 'emau kau tali kai fiekaia ma'upe mei tu'a, ko 'emau fanga puaka, kulī, pusi, moa, moe pato 'oku nau fiefia ma'upe ke ma'u ha ki'i toenga me'a mei peito. 'Oku 'ikai taau ke maumau'i ha me'a.

When a branch has fallen down and there's 3-500 flying foxes on the ground, there'll be 10 or 20 people, fathers, mothers and children over there. Everyone gets some.

Koe mapaki pe ha fu'u va'a mo ha peka e 3-500 ki he kelekele', pea mahalo pe ko ha toko 10-20, tangata, fefine, fanau, nau 'osi kotoa kiai 'o tā peka. Mau tōfuhia pe kotoa.

They'll all be there. They clean up everything, all the ones on the ground. And if any are halfway climbing up the tree, oh grab them too. None escape. That's how it is.

Mau 'osi kotoa kiai. Taki taha tā pe 'ene peka. Pea kapau 'oku 'iai ha peka kuo nau kamata kaka hake, toe heu hifo mo nautolu. 'Ikai ke toe hao ha peka. Ko hono anga' pe ia.

Once they're on the ground and people are there, you harvest the lot as there are plenty left up the trees. I've got 50 and you've got 5 – *here's a couple or 3 more* – and they just kind of share it there very quickly. On the spot.

Ko ha peka pe 'oku i he kelekele koe peka ia 'a'au. Kei toe lahi pe fanga peka' ia he 'ulu toa'. Kapau 'e 'iai ha'aku peka 'aku e 50 ka ko ho'o peka pe 'au e 5 – *ei to'o atu e, lī mai ha peka 2 pe 3* – pea nau vahevahe pehe' pe. Taimi pe koia.

Of course I don't want to give away too many of my catch. You give away a few and disappear in a hurry before other people arrive.

'Oku te foaki pe ha peka, pea te fakavave pe ke fei mote pulia kita ki 'api na'a toe 'osi pe 'ete peka' hono tufa.

And if you see somebody who came a bit late and didn't have any, *here have a couple*, but you quickly disappear with your catch before you give half of it away. And then you cook them, and that's it.

Pea kapua tete sio ki ha taha na'e tōmui mai pea 'ikai ma'u ha'ane peka, *koe'*, *'oange ha'ane peka e ua ke 'alu 'o tunu*, pea te fakato'oto'o atu ke fei mote pulia na'a toe mole ha'ate peka. 'Ai hano fo'i lolo'i pea 'osi ia.

And of course, your aunty who lives halfway up the village, they didn't get any cause only the people close by will have caught some. So you send her some after they are cooked. Village sharing like that goes on all the time.

Pea ko hoto famili 'oku nofo atu he loto kolo' na'e 'ikai ma'u ha'anau peka he 'oku nau fu'u mama'o atu, koe kau nofo ofi' pe na'anau tu'umālie'. Toki 'ave pe ha'anau ki'i peleti ha'ane moho. Koe anga pe ia e nofo fakakolo', 'oku vahevahe pehe'.

The branch laden with peka breaks, hits the ground. Everybody dives in for the peka, and before you blink twice they all disappear home as fast as they had come. No chance to ask somebody, *can you come and give us a hand to drag this to the back,* the toa branch might just stay there like that for a while if it's not blocking anything.

Ko 'ene mapaki pe fu'u va'a toa' ki he kelekele, fonu he fanga peka', 'osi mai kiai e kaungā'api' o tili he fanga peka'. Pea tuai e kemo kuo nau toe pulia pe he vave taha'. 'Ikai ha faingmālie kete kole atu *ha'u mu'a keta toho e me'a koe' kimui,* pea kapau 'oku 'atā pe meihe hala' pea mahalo 'e tuku pe ai ke toki vakai.

It's very heavy, very hard to move so we start chopping it from the little branches. Take that as firewood and leave the bigger piece there, so long as it's not across the road or in anybody's way. When we're short of firewood we go and cut some off and eventually it disappears.

'Oku fu'u mamafa pea faingata'a hono toho' pea mau tutu'u pe fanga ki'i va'a iiki' ke kamata 'aki. Toki tutu'u pe hano fiemau ki he tafu haka'. Pea kapau 'oku 'ikai kene felei ha me'a pea 'e toki tutu'u māmālie pe, pea taimi si'i pe kuo pulia ia.

Part 11: Flying Foxes in Village Life
Konga 11: Fanga Peka 'i he Kolo'

The flying foxes are wild, and no one tries to farm them like you do with other animals. To farm them and call them your own, how are you going to feed them?

Koe peka' koe manu kaivao, pea 'oku 'ikai ha taha ia tene fakalalata pe tauhi hange' koe fanga manu kehe'. Kapau teke fie 'ai ha'o tau'anga peka, 'e fēfē nai ha'o fafanga kinautolu ?

They go and forage on other people's properties. Unless you own all the mango trees over there and all the tava trees and all the fruit trees.

'Oku nau ō pe kinautolu 'o kumi kai meihe 'ulu 'akau fua 'ae kakai kehe. Tuku kehe kapau 'oku ke ma'u kotoa 'e koe 'ae 'ulu mango' moe tava' moe 'akau fua kotoa he vao'.

The essence of what Tapani lahi was doing was to provide them with a safe place to roost. You don't need to put a fence up or cage them. You just don't need people to go shanghai them and throw sticks at them or stones to catch them while they are roosting in the toa trees at your place.

Koe me'a na'e fai 'e Tapani lahi ia ki he fanga peka' ko hono 'ai ha feitu'u malu kenau nofo ai. Na'e 'ikai ko ha 'aa'i pe ko ha me'a pehe', ka ko hono malu'i pe kinautolu 'ihe taimi 'oku nau 'i hono 'api' nofo'anga' ai'. Tapu hono tolo' pe koe fana sengai'.

If they're in the bush, you do what you like with them. But when they come to Tapani lahi's place or somebody else's place they say, *hey what are you doing. Go and throw stones at your own place.*

Kapau 'oku nau 'i he vao' pea ke fa'iteliha pe koe. Ka koe 'enau tau pe 'i he 'api 'o Tapani lahi' pe ko e 'api pe 'o ha taha tenau pehe atu, *ei koe ha ia?. 'Alu 'o tolo peka pe ho mou 'api'.*

You can't go and buy them from the market as people don't sell them. The only way to make money from them, is to take a live one to be photographed when the tourists come to visit when the tourist ships are in port at Nuku'alofa.

190

'Oku 'ikai ke fakatau 'e peka ia meihe māketi' he 'oku 'ikai ke 'iai ha taha fakatau peka ia ai. 'Oku taha pe founga kete ma'u ai ha'ate seniti meihe peka' ko 'ete 'alu mo ha peka mo'ui ke faitaā'i 'ehe kau folau 'eve'eva' he taimi 'oku ha'u ai ha vaka meili ki Nuku'alofa'.

So you'd know when a cruise ship was arriving and guys would catch a big full grown flying fox if possible, and wait for the tourists to arrive. The buses and taxis always stop at Ha'avakatolo in front of our place and across the road as this is the biggest roost.

Nau 'ilo pe taimi ha'u e vaka meili' pea feinga e kau tama' ke puke mo'ui ha peka lahi ke tali 'aki e kau folau 'eve'eva'. Koe ngāhi pasi' moe tekisii' tenau tu'u kotoa pe 'i mu'a homau 'api nofo'anga' 'i Ha'avakatolo he koe tau'anga peka lahi' pe ia.

I saw this happening often from when I was about ten and it was still going on when I left for NZ at 17 in 1966. It's still continuing, right to the present.

Na'aku sio tonu he taimi fakameili pehe ni' tu'o lahi, mahalo ko hoku ta'u 10 nai 'o a'u pe ki he 'eku 'alu ki Nu'usila 'i hoku ta'u 17, 'ihe 1966. Pea 'oku kei fai pe fakameili' he founga tatau pe 'o a'u ki he 'aho ni.

Our people in the village would leave our side of the road clear for the tourists to be able to see the peka in the trees there.

Hanga pe 'ehe kau fakameili' 'o faka'ata'ata' pe 'a homau toumu'a' ki he kau folau 'eve'eva' ke tau'atāina pe 'enau 'alu holo' ke sio he tau'anga peka'.

And on the other side in front of Sisi's house opposite us, Mahe and some of the other guys would wait by the pop up stalls that were put up only for the tourist days displaying local artifacts for sale.

Pea koe toumu'a koe' 'o Sisi' he tafa'aki e taha' na'e talitali ai pe a Mahe moe 'ene kau tama' he ve'e palepale pe na'a nau 'osi langa pea moe fanga ki'i tēpile ke tuku ai e fakameili' 'ae kakai'.

People would be there selling handicrafts of all sorts. Fashioned pieces of tapa cloth, kava cups, bracelets and necklaces made out of shells, leis and baskets like woven laundry baskets and purses and so on.

Photographs of handicrafts courtesy of Canva
Koe ngāhi koloa fakameili ... meihe Keniva'

Talitali aipe 'ae kau fakameili' mo 'enau ngāue fakamea'a kehekehe. Koe tapa'i ngatu, ipu kava, vesa, kahoa nge'esi fingota, kahoa pua, kato lou'akau lalahi moe peesi moe me'a kehekehe pe.

There are no handicrafts made out of the peka themselves.

Na'e 'ikai ke 'iai ha me'a 'e ngāohi 'aki ha kongokonga 'oe peka' pe ko ha fakatātā pe ā.

Mahe would have the flying fox with its wings all folded up and just holding it behind his back.

'Osi peluki mai pe 'e Mahe 'ae kapakau 'oe peka' 'o pukepuke pe 'i mui hono tu'a'.

Would you like to take a photograph, pointing to the toa tree full of them, however they communicate to the tourist. Then out comes the flying fox from behind him and he unfolds it to full wing span.

Ke fie faitaa'i e peka', mo tuhu ki he 'ulu toa' fonu he fanga peka', mo ki'i muhumuhu atu ki he pālangi'. Pea ne puke hake leva e peka' mo folahi atu hono ongo kapakau'.

Usually there'd be two guys holding it, one at the end of each wing so it's only the flying fox that has its picture taken. A big full grown one and Mahe would say, *same same, same flying fox as up there.*

'Osi 'iai pe ongo tama e toko ua 'oku na takitaha pe kapakau 'o puke ai ke 'asi lelei 'ae fo'i 'ata oe peka' pe. Fu'u peka lahi atu, pea pehe' atu a Mahe, *tatau pe, tatau pe moe peka koee'.*

And you as the tourist, *oh yeah, year, click click, one or two shots*. That'll be two bob thanks. Afterwards. *Oh ... okay*. But they don't tell them before, otherwise they might say no.

Pea pehe' mai e pālangi', *'io 'io, 'ai fo'i 'ata e taha pe ua*. Silini e ua mālō. He 'osi 'ae faitaa'. *'Oo ... ok*. 'Ikai ke 'uluaki talaange, na'a faifai' pea 'ikai mai ia.

Or at times they will have the flying fox held out in full display all the time and Mahe would try to attract the tourist to take photos.

Taimi e ni'ihi 'oku puke pe 'ehe ongo tama' ia e peka' he kapakau' 'o tu'u pehe' pe, kae 'alu takai holo pe a Mahe 'o ui ui mai e kau pāsese' kenau faitā.

The trouble with this strategy is that the tourists are not used to being so close to a live flying fox before and will stay a fair distance away.

Ko hono kovi' pe he 'oku taka manavahe' e kau pāsese ia he fu'u ofi mai ki he peka' he 'oku 'ikai kenau anga kiai.

Photograph, take a photograph.

Thank you very much.

That'll be two bob.

Oh I haven't got any change.

Ok. Can't win them all.

'Ai ha'a mou taa.

Mālō mālō.

Silini e ua pe.

Kataki 'ikai ke 'i ai ha'aku fetongi.

Saipe. Toki vakai atu.

"Roussette de Tonga, femelle" by Dumont D'Urville 1826-29, New York Public Library.
Koe fo'i fakatātā 'oe Peka ... meihe Laipeli 'o Niu 'Ioke'.

Visitors have been fascinated with flying foxes ever since the first Europeans arrived in Tonga, as illustrated by this drawing. It's one of several by Dumont D'Urville, a French explorer and naval officer, who sailed to Tonga in the early nineteenth century.

Na'e lahi 'ae ofo moe fie'ilo ki he peka' talu pe meihe 'uluaki tu'uta mai 'ae kau papālangi' ki Tonga 'ihe konga kimu'a 'oe senituli 19, 'aia 'oku hā 'ihe tāvalivali 'ae tangata Falanisē ko Tumoni Taueli 'oku hā atu 'i lalo'.

There are some adverse sayings, not many, about the flying foxes. In our family we say *tangi e peka'*. You say that when the little kids are whining and whinging, like a peka. That's only said in the Hihifo area I guess as that's the only place where the flying foxes are.

'Oku iai pe 'ae 'ai'ai lea fekau'aki moe peka'. *Tangi fakapeka.* 'Oku fa'a ui 'aki e kau leka 'oku matatangi pe tangi fakafiu, ngīngī hange ha *peka'*. Mahalo koe lea faka Hihifo pe ia he ko Hihifo pe foki 'oku 'iai e peka'.

Other people would say it to us, *Tapani, tangi fakapeka*, because you are from Hihifo, not that I actually cried like that. Like at Tonga High School, some people would say it. It's usually just to tease or annoy you, *tangi fakapeka*, and because the flying fox has a mild male odour, billy goat smell like.

Fa'a 'ai mai pe 'ehe ni'ihi kia au, *Tapani, tangi fakapeka*, koe 'uhi' ko 'eku ha'u mei Hihifo', ka na'e 'ikai keu tangi pehe' foki au. 'Ihe 'eku kei 'ihe Ako Mā'olunga 'o Tonga na'e fa'a 'ai mai 'eha kau tama, koe fakamatalili pe, *tangi fakapeka*, pea koe 'ai pe foki he 'oku 'iai e namu tau 'oe fanga peka' hange' pe koe namu kosi tau' nai.

When you say to somebody *namu peka* whether they are from Ha'avakatolo or Kolovai or wherever, it's very rude and insulting.

Kapau teke pehe' atu ki ha taha, *namu peka* koe anga kovi ia pea fakamatalili tatau aipe pe ko ho'o ha'u mei Ha'avakatolo pe ko Kolovai.

So you don't say it because if you say *you stink* to somebody, you might get a whack across the ear. It's akin to swearing. Look out when you say it, you might get told off or worse.

Koia kapau teke pehe ange ki ha taha 'oku namu kū mahalo pe tene paa'i koe. 'Oku hange eni ha kapekape'. Pea kapau teke lea pehe' ki ha taha pea ke tokanga na'a pusi'i koe.

So the poor flying foxes don't have too many complimentary things said about them. I guess it's because they are not a particularly pleasant looking animal. Not like a pigeon or a butterfly for instance.

'Ikai lahi ha lea lelei ma'ae fanga peka'. 'Ikai ko ha manu faka'ofo'ofa honau fōtunga'. Tau pehe' ke hange' ko ha fo'i kulukulu pe ko ha ki'i pepe.

Oh you look beautiful if you are another flying fox.

Faka'ofo'ofa pe foki ki ha ki'i peka e taha.

It looks more like a mouse, a flying mouse than anything else. But it's there. It's associated with a particular noble Ata, and we eat it but we don't eat mice, although they do in some other countries, the rice field mice.

'Oku nau hange' ha ki'i kumāa', kumā fai kapakau. Ka 'oku nau 'i heni. Pea 'oku nau fekau'aki moe nōpele ko Ata'. 'Oku mau kai e peka' ka 'oku 'ikai ke mau kai e kumāa', neongo 'oku kai e kumā vao' he ngāhi fonua e ni'ihi.

There is a name known as Peka in Tonga but I don't think it is a reference to the flying fox of Kolovai. I think it is a Tongan translation of Baker, the surname of Shirley Baker, the missionary who was an adviser to Tupou 1, and Premier of Tonga for a time.

'Oku 'iai e hingoa fakaTonga koe Peka ka 'oku 'ikai koe fakahingoa ia ki he peka 'o Kolovai'. Mahalo koe ha'u ia meia *Shirley Baker*. 'A Seli Peka koe' na'e ha'u koe ngāue fakamisinale pea hoko ai koe tokotaha fale'i kia Tupou 1 mo Palēmia foki.

I've been told by my cousins that the flying fox is featured in a tapa stencil (kupesi) designed and manufactured by my aunty Kalolaine Lata i Fale Fehi Taukapa he Lotu Tapani, who is my Dad's sister, and Tapani lahi's only surviving daughter. Kupesi are the stencil-like design templates for tapa cloth decorative patterns.

Na'e talamai kiate au 'oku 'iai 'ae kupesi na'e fatu pea fo'u 'e hoku Mehikitanga', ko Kalolaine Lata i Fale Fehi Taukapa he Lotu Tapani, koe tuofefine pe eni e taha 'o 'eku tangata'eiki ko Dr Sione Mangisi pea koe 'ofefine pe ia 'e taha 'o Tapani lahi na'e mo'ui mai 'o a'u koe fefine lahi.

Kupesi components for Kalo's ngatu, photograph courtesy Lolini Thompson.

Ko ngāhi kongokonga 'oe kupesi 'a Kalo'. Tā meia Lolini Thompson.

She called the kupesi **The Boulevard**, *"Hala Po'uliva'ati"*, referring to the big toa trees that grow along the road, in particular the stretch from 'Umu Tangata at Fo'ui, through Ha'avakatolo, all the way to the end of Kolovai village. At the time, the village ended at Vilifuna's place, followed by bushland all the way to 'Ahau.

Na'a ne fakahingoa 'ae kupesi koe ni', koe "Hala Po'uliva'ati'", 'o 'uhinga ia ki he 'ulu toa kotoa 'i he vaha'a hala mei 'Umu Tangata 'i Fo'ui, kātoa 'o Ha'avakatolo, 'o a'u ki he ngata'anga 'o Kolovai'. 'Ihe taimi koia', na'e ngata pe 'ae kolo' he 'api 'o Vilifuna', pea vao katoa mei ai 'o a'u ki 'Ahau.

This design is not as well-known as others like the kupesi *Hala Paini*, the Pine Tree parade featuring the pine trees leading to the Palace at Nuku'alofa.

Na'e 'ikai ke 'iloa tatau moe kupesi Hala Paini', 'ae' 'oku 'asi ai e 'ulu paini 'ihe vaa'i hala 'oe Palasi' 'i Nuku'alofa'.

Or the *Tokelau Feletoa* depicting areas of significance like Feletoa, at Vava'u. And they just call it *tokelau feletoa*, tokelau meaning north and Feletoa is the name of the village and it is synonymous with that. Probably started from the days of the Tu'i Vava'u. Similarly with the flying foxes in Kolovai and Ha'avakatolo.

Pe koe Tokelau Feletoa', 'o fekau'aki mo Feletoa pea mo kinautolu mei tokelau'. Pea ui ai pe ia koe *tokelau feletoa'*. Mahalo na'e kamata hono ngāue'aki 'ae kupesi koeni he taimi na'e kei tu'u fefeka ai e Tu'i Vava'u'. Koe me'a tatau pe eni pea moe Peka 'oe Hala Po'uliva'ati' 'i he hala Hihifo'.

Kupesi component with dedication to HM Queen Mata'aho, photograph courtesy Lolini Thompson.
Koe konga 'oe kupesi'. Fakatokanga'i ange 'ae huafa 'oe Ta'ahine ko Kuini Mata'aho'. Tā meia Lolini Thompson.

The story is that the women at Ha'avakatolo last used it in a ngatu they made for a special presentation to Queen Halaevalu Mata'aho for her 90th birthday celebrations. And although we have found photos, the kupesi itself has been misplaced.

'Oku talamai na'e ngāue 'aki 'ehe kau fefine 'o Ha'avakatolo' 'ihe 'enau koka'anga ki he kātoanga 'oe ta'u 90 'oe Ta'ahina Kuini Fehuhu ko Halaevalu Mata'aho'. Pea tāluai, tokaange pe ha feitu'u 'oku tata'o ai pea 'ofa pe 'oku 'ikai ke mole 'aupito, neongo na'e 'osi ma'u e ngāhi lau'i tā.

I believe that Aunty Kalo's kupesi, is the only one that features the flying foxes of Hihifo though not used widely in the design of traditional Tongan ngatu, even in Hihifo. Her inspiration was based on the line of toa trees along the boulevard, but predominantly on the stretch from the Nukuma'anu cemetery at Ha'avakatolo along past the Pouvalu cemetery and all the way to the Wesleyan Church manse, at Kolovai.

'Oku ou tui koe kupesi 'a Kalolaine pe taha 'oku fakakau ai 'ae tau'anga peka 'o Hihifo'. Koe tefito'i fakakaukau', na'e kumuni ia meihe 'uhinga 'oe 'ulu toa 'oe Hala Po'uliva'ati', 'ae' 'oku lahi taha 'ihe vaha'a hala koia mei he fa'itoka ko Nukuma'anu' 'i Ha'avakatolo, fou atu 'i he fa'itoka ko Pouvalu', 'o laka atu he fale nofo'anga 'oe Faifekau Uesiliana 'i Kolovai'.

As I recall it, almost all of the toa trees there are on the same side of the road, that is on the western or *liku* side of the road. Up to 75 in total perhaps, with only 2 on the other side of the road.

Ko 'eku manatu'i ko e meimei katoa 'oe 'ulu toa' 'oku nau tu'u 'ihe tafa'aki tatau pe 'oe hala', 'aia koe tafa'aki fakahahake ia pe koe tafa'aki ki he *liku*'. Mahalo koe fu'u toa nai e 75 pea koe fu'u toa pe 'e 2 'oku 'ihe kauhala 'e taha'.

I don't know how they came to be located like that, mostly on the *liku* side and once I realised this, I began to wonder how this came about. If they just grew by themselves they would be found all around the place and certainly more evenly on both sides of the road.

'Oku 'ikai teu 'ilo'i pe koe ha na'anau tupu pehe' ai' 'o meimei kātoa pe 'i he kauhala ki liku'. Kapau na'anau tupu noa pe, mahalo 'e meimei vaevae tatau he ongo kauhala'.

But no. I remember only one toa tree at Langi Vailanu's place opposite the 'Uhila hall at Kolovai and one more at the Nukuma'anu cemetery at Ha'avakatolo, both on the other side, the eastern side of the road.

Kae 'ikai. Ko 'eku manatu'i koe fu'u toa pe 'e taha 'i he 'api 'o Langi Vailanu' fehāngaaki moe falekautaha ko 'Uhila' 'i Kolovai pea moe taha 'i he fa'itoka ko Nukuma'anu 'i Ha'avakatolo 'oku tu'u 'ihe kauhala 'e taha', ki he tafa'aki fakahahake'.

And that makes me wonder: were they deliberately planted there all along the road on the western side, and if so, who might have planted them and why ?

Pe au pehe': na'anau 'uhinga ke nau tō pehe'i e 'ulu toa', he tafa'aki fakahahake pe ? Kapau koia, koe ngāue nai 'a hai pea koe hā hono 'uhinga ?

As I've mentioned, toa trees in Tonga live for a very long time. The ones at our home were already tall and old and full of flying foxes when I was a kid. So Tapani lahi would have known them all his life.

Koe toa' 'i Tonga 'oku nau mo'ui fuoloa 'aupito. 'Ihe 'eku kei si'i', koe 'ulu toa ia 'i homau 'api nofo'anga', na'anau 'osi lalahi 'aupito pe kinautolu pea fonu he peka'. Pea ngalingali na'anau 'osi motu'a pe kinautolu 'ihe taimi na'e kei si'i hake ai 'a Tapani lahi'.

I have only ever heard of one dying, and that was one out in the cemetry at Mameisinimani beach where one of the old ladies used to light a fire at the base when she was out there working. And the tree caught fire and it could not be put it out and died. Not of old age though.

Koe fu'u toa pe 'e taha 'i homau liku' 'i Mameisinimani fehangaaki moe fa'itoka' neu fanongo ai kuo mate. Ka koe mate ia koe vela he tutututu 'ae fine'eiki lolotonga 'ene fakama'a holo ai pea vela ai e fu'u toa' pea 'ikai lava hano tamatei' e afi' pea mate ai e fu'u toa'. 'Ikai ko ha mate koe ta'u motu'a.

We never planted any new ones at home and I never saw anyone planting them in the village either.

Na'e 'ikai ke mau tō ha toa 'i homau 'api' pea tatau pe moe ngāhi 'api kehe he kolo'.

Now, from Tapani lahi to me is 70 years say, 3 generations, so if we guess that these trees are 200-250 years old, that is perhaps 9 or 10 generations in my family.

Meia Tapani lahi kia au, tau pehe koe ta'u ia e 70, koe to'utangata ia e 3. Pea tau pehe' koe 'ulutoa' 'oku nau 'i he ta'u nai 'e 200 - 250, pea koe to'utangata ia 'e 9 pe 10 nai 'i homau famili'.

The toa tree is part of old Tongan legends about the creation of the world and the first Tu'i Tonga. He is said to have been born after the god Tangaloa 'Eitumatupu'a (a Samoan god) climbed down a great toa tree from heaven to earth. There with 'Ilaheva Va'epopua (a Tongan woman) they begot

208

'Aho'eitu who later became the 1st Tu'i Tonga, after he climbed the same toa tree back up to heaven to find his father.

Koe toa' foki koe konga ia 'oe talanoa talatupu'a ki he katama'anga 'oe ha'a Tu'i Tonga'. 'Oku pehe' na'e ha'ele hifo 'ihe fu'u toa mei langi ki mamani 'ae 'otua Ha'amoa ko Tangaloa 'Eitumatupu'a. Pea 'ihe 'ene 'i maama, na'ana fakatupu ai moe fefine Tonga ko 'Ilaheva Va'epopua, 'a 'Aho'eitu, 'aia na'ane hoko kimui ange koe 'uluaki Tu'i Tonga'.

He is said to have reigned sometime around the 900-950s AD, but the legend itself feels timeless.

Mahalo 'i he fa'ahinga taimi 'oe ta'u 900-950 tupu'.

But as far as I know there's no mention of the flying fox. In this legend or any others.

Ko 'eku 'ilo'i, na'e 'ikai kau e peka' he fo'i talanoa' koeni. Pe ko ha toe fo'i talanoa kehe.

The toa trees grow in other places. Not just Hihifo. In Nuku'alofa there are a lot of toa trees along the foreshore along Vuna Road. But they're mainly at the liku or the graveyards. I think that's because they only grow at sandy places.

'Oku tupu pe 'ae toa' 'i he ngāhi feitu'u kehe, 'ikai ko Hihifo pe. 'Ihe Hala Vuna' 'i Nuku'alofa 'oku toa 'atā pe. Ka 'oku lahi pe ki he ngāhi fa'itoka' pe koe tu'a liku'. Mahalo pe ko 'ene tou'one'.

I've wondered whether people in the olden days planted toa trees around graveyards to show the link from earth to heaven as is related in that old legend. What do you think?

Mahalo na'a ko hono tō 'oe toa' 'ihe ngāhi fa'itoka' ko ha hala fou'anga ki langi hange' koe talatupu'a 'oe tu'i Tonga'. Koe hā ha'o lau?

I never saw anyone cutting down a toa tree in our part of Hihifo. Or planting one. There are some at the liku. If you wanted to get more trees to plant at the boulevard, you'd get a seedling from the *liku* by the seaside.

Te'i kiai keu sio ki ha taha kuo ne tā ha fu'u toa 'i Hihifo. Pe ko hano tō. 'Oku lahi pe huli' he tu'a liku'.

Kapau teke fiema'u ha toa ke tō, teke ma'u ia mei he tu'a liku'. 'Alu pe ki he matā fanga'.

There's lots of toa trees at our place but it belonged to 'Ahome'e initially before he gave it to us. So they're his toa trees from way back when, not ours.

'Oku lahi e 'ulutoa homau 'api' ka koe 'api foki 'o 'Ahome'e mei fouloa pea ne toki foaki mai ma'a mautolu'. Koe konga pe 'oe 'ulu 'akau hono 'api' kimu'a pea toki vahe'i mai kia mautolu'.

They're not particulaly beautiful trees, they're branchy, but their leaves are thin and whispy, needle thin. Thinner than the *tu'aniu* of the coconut leaves. When the wind blows through them, it makes a whistling sound.

'Oku 'ikai ko ha 'akau faka'ofo'ofa fēfē, va'ava'a pea koe lau' ia 'oku fō iiki hange ha hui tuitui'. Toe fō iiki ange ia he tu'aniu'. Koe taimi 'oku māmālohi ai e matangi pea ongo hange' ha mapu' 'ae puhi 'ae 'ea'.

The toa trees where the flying foxes live are bare at the top. There are no leaves left there or bark because all the flying foxes have worn them off over the years. Only the trees with only a few flying foxes on them still have leaves all over.

Flying foxes roost shows branches stripped away, Mangisi family photograph
Vakai kihe molemole 'ae lau' 'ihe tau ai 'ae peka'. 'U tā 'ae famili Mangisi'.

Koe konga ki 'olunga 'oe 'ulu toa' 'ae' 'oku tau ai e fanga peka' kuo 'osi molemole kotoa ia. 'Osi kotoa e lau' ia moe kili' he ngāue 'ae fanga peka' 'ihe ngāhi ta'u lahi. Koe 'ulu toa pe 'oku si'isi'i 'enau tau ai' 'oku kei failau pe 'o a'u ki 'olunga'.

The stories say that the peka at Kolovai came from Pelehake where they were originally. Pelehake is said to be the first place they lived. A long time ago some were brought to Hihifo to help cure an ailment of the chief Ata and from then on he became their custodian.

Koe talanoa' 'oku pehe' na'e 'omai e peka' mei Pelehake ke tokoni ki he fakatamaki fakasino 'oe 'eiki 'oe kolo' ko Ata, pea talu mei ai moe 'enau nofo aipe 'i Kolovai. Pea tokanga'i aipe 'e Ata, pea 'oku nau kei nofo aipe 'o a'u ki he 'aho ni.

The only legend I heard about the flying fox when I was growing up is about their colour. You know flying foxes are black. They've got a dark brown collar and that sometimes goes a little bit down the back.

Koe talatupu'a pe 'oku ou 'ilo'i fekau'aki moe peka', ko honau lanu'. 'Oku nau lanu 'uli'uli foki . 'Oku 'iai e lanu palauni fakapōpō'uli honau kia' pea ki'i lele si'i hifo he tu'a'.

No white at all. Apart from this, their wings and fur are all black. A little bit of brown collar and cheek, but otherwise the face hair is black too.

'Ikai ha hinehina e taha. Koe kapakau' moe fulufulu he sino' 'oku 'uli'uli katoa. Koe ki'i palauni pe he kia' moe kou'ahe', pea 'uli'uli hono toe'.

And someone would say that there is a white flying fox in amongst the roost. Like a Moby Dick of flying foxes. That is, the hair on its back is all white. May be the front too, but one cannot see as it is always covered by its wings.

'Ohovale pe kuo ofongi mai 'eha taha, 'oku 'iai e peka tea he tau'anga peka'. Hange' koe talanoa koe' ki he tofua'a tea' ko Moupi Tiki'. Hinehina kotoa e fo'i tu'a'. Mahalo pe moe fatafata', 'ikai ke lava ha taha ia 'o sio kiai he 'oku kofukofu'i ma'upe foki ia 'aki hono kapakau'.

They call it *peka tea*. *Tea* is white. The white ones have black wings and front and the back is white all the way.

'Oku nau ui eni koe peka tea'. *Tea* koe hinehina' ia. Talamai koe peka tea' 'oku tonu ke hinehina e fatafata' moe tu'a' kae 'uli'uli pe 'ae ongo kapakau'.

I did see one at the Kolovai cemetery in the late 1950s after it was pointed out to me. My school friends and I looked for it everyday and saw it. But it just disappeared about a week later.

Na'aku 'osi sio he peka tea 'i he fa'itoka ko Pouvalu 'i Kolovai'i he 1950 tupu'. Talamai pe 'e hoku ngāhi kaunga' ako' pea mau fakasio pe he 'aho kotoa 'o sio kiai. 'Osi pe mahalo ha uike pe 'e taha kuo 'ikai kemau toe sio kiai.

When you see one of these white ones, the story goes that it's saying *be prepared there is something, a disaster coming and very soon*. People say it means the death of the noble.

Koe talanoa' 'oku pehe', ka 'asi e peka tea', *pea kemou teuteu he'e vave pe ha me'a fakamamahi 'e hoko.* Koe tui 'ae kakai' e vave pe ha pekia 'ae Nopele 'oe kolo'.

So if we hear there's a *peka tea* around and somebody spots it, we all go out there and take a look. The oldies reckon that yes it usually follows something bad is going to happen, that the noble might die soon.

Koe ha'u pe ha talanoa 'oku 'asi ha peka tea, pea e toko lahi e kau fie'ilo' he feinga ke fakapapau'i pe koe mo'oni pe 'ikai. Pehe pe foki 'ehe kau mātu'a 'oe kolo' 'oku ngali vave pe ha taimi 'oe Nopele' ke pekia.

And he might have been sick for some time but when the *peka tea* arrives you prepare, because you know that the white flying fox is the foreshadowing of the end for the Noble.

Pea mahalo na'e fuoloa pe ha ongo'i kovi ia 'ae Nopele' pea koe 'asi mai eni 'ae *peka tea*' koe talamai ki he kolo' ke nau mateuteu he 'oku ngali vave pe hono taimi'.

And I guess that's what the sacredness of the peka is associated with. So when the white flying fox appears the chief will die and it tells you that he's going to die sooner rather than later. We are talking about the Noble of Kolovai, as supposedly he is the only one associated with this legend.

Mahalo koe 'uhinga eni 'oku pehe' ai 'oku 'iai e me'a fakaofo fekau'aki moe peka'. Koe 'asi pe ha peka tea, koe talateu ia ki he kolo', koe Nopele' 'oku vave pe hono taimi'. Pehe' tokua koe Nopele pe 'o Kolovai' 'oku fekau'aki moe talatupu'a koeni'.

Consequently you harm the peka at your peril while they are at the Pouvalu cemetery at Kolovai. But you can catch them anywhere else you like. If there's a colony at the bush, you can catch them at your pleasure.

Koia 'oku te tokanga pe 'o 'oua tete tolo e peka 'i he fa'itoka ko Pouvalu' 'i Kolovai. Ka 'oku ngofua pe kete tolo pe tauhele'i 'i ha feitu'u kehe. Kapau 'oku 'iai ha tau'anga peka 'i 'uta pea 'oku te fa'iteliha pe kita ke tolo pe tauhele'i.

But not the main colony at Kolovai, you're not allowed to touch them or catch them, or eat them. Only the noble or his delegate can do that at Kolovai.

Koe tau'anga peka 'i Kolovai 'oku tapu hono tolo'. Koe Nopele' pe, pe ko hano fakafofonga' 'oku ngofua ke nau tā mo kai e peka 'i Kolovai'.

The Noble Ata was in residence at Kolovai when missionary John Thomas arrived at Hihifo in 1826. But when I grew up there in the 1950 there was no Noble living at Kolovai.

Na'e me'a 'a Ata 'i Kolovai 'ihe taimi na'e tu'uta mai ai a Sione Tomasi ki Hihifo 'ihe 1826. Ka 'ihe 'eku tupu hake 'i Hihifo 'ihe 1950 tupu', na'e 'ikai ke me'a ha nopele ia 'i Kolovai.

Similarly with 'Ahome'e at Ha'avakatolo. We lived next door to his residence, but he was living mainly in Nuku'alofa and for good reasons.

Tatau pe mo 'Ahome'e 'i Ha'avakatolo. Na'a mau nofo kaungā'api ka na'e me'a pe ia 'i Nuku'alofa pe ofi kiai tu'unga pe he ngāhi 'uhinga lelei.

And when we catch peka, no matter how you do it, you don't take them with you to the Noble or anyone else as a food presentation. And you don't put them in your food spread for the local feasts either. Like the feastings for special days in the Christian calendar.

He 'ikai ke kau e peka ia 'i ha'ate ngāhi 'ilo ma'a Hou'eiki pe ko ha'ate 'alu pe 'o 'a'ahi. Pea 'oku 'ikai pe ke kau ia 'i he ngāhi ouau hange' koe ngāhi pola fakakolo' hange koe Fakame', Faka'osi Ta'u' moe ngāhi 'aho mahu'inga koia'.

I don't know why? It's either too good or not good enough to put on a *pola*. So too good perhaps, and you eat it yourselves. Or not good enough to go on the *pola*, because that's a formal presentation.

'Ikai keu 'ilo'i … pe 'oku sai fe'unga pe 'ikai ke 'ai 'iha pola. Fu'u sai 'aupito, pea tuku ai ā ke tau kaipoosi pe 'e tautolu. Pe 'oku 'ikai ko ha me'a fe'unga ia ke kau he pola'.

We don't put horse meat, *lo'i hoosi*, on a *pola*, but you might have horse meat in other gatherings, put it in an umu and share it with the neighbours. Mutton flaps, salted beef, pork and tinned corned beef for the *lu* wraps, are what goes on a *pola*.

'Oku ikai foki ke tau 'ai ha lo'i hoosi i ha pola, ka 'oku kai pe ia 'iha fakataha'anga, ta'o pe ha 'umu pea tufa ke tau ma'u. Koe sipi, pulu masima, puaka moe kapa pulu' 'oku 'ai 'aki ia 'ae lo'i luu', 'oku 'ai he pola'.

We don't think flying foxes are suitable for that. Not for formal things. It's not a thing for presentation, *oh I'll go and see the noble and give him a peka for a snack.* It's just not done.

'Oku ikai pe ke kau 'ae peka ia ha ngāhi pola ki ha kātoanga. 'Oku 'ikai ko ha me'a tokoni faka'ei'eiki, *'ō teu 'alu 'o vakai a Ata mo 'ave ha'ane ki'i tunu peka kene 'ilo.* 'Oku 'ikai koe founga' ia'.

So if you are visiting a notable person, the pig is the thing. If you can afford it, otherwise, some sea foods, chicken and so on.

Kapau ko ho'o 'alu 'o vakai ha taha mā'olunga pea 'oku te 'alu moha ki'i puaka tunu kapau 'e ma'u. Pea ka 'ikai, ko ha mata'i ika, moa moe ngāhi me'a pehe'.

Kaipongipongi, Ha'avakatolo celebrating Kalolaine Lasale Mangisi's christening. The young son of the late Hon. 'Ahome'e Vuna and Hon. Lavinia is at the front right hand side in black. (Later became 'Ahome'e Tu'ioetau.) On the front left hand side is Irene Webley and Lasale. Next to them is the late Kaimana Aleamotu'a who was a student of Irene at Queensland University at this time. Sione Tapani (me) is partly obscured next to Kaimana. This shows the pola prepared by the family for the feast. Mangisi family photograph taken in 1981.

Koe fakafiefia 'ihe papitaiso 'o Kalolaine Lasale Mangisi 'i he 'api fakafamili', 'i Kaipongipongi, Ha'avakatolo. Koe tamasi'i ko Tevita Tu'i'oetau' 'oku me'a 'i mu'a 'ihe to'omatau', koia 'oku teunga 'uli. Koe 'ene ongo 'eiki', ko Nopele 'Ahome'e Vuna pea mo Lavinia. 'Ihe tafa'aki to'ohema' ko Irene mo Lasale. Hoko mai ai, koe ta'ahine ko Kaimana Aleamotu'a, na'e lolotonga ako 'ihe 'Univesiti Kuinisilani 'ia Irene 'ihe taimi koia'. Pulipulia hoko mai ai, koe ki'i motua fa'utohi meihe fu'u Pua ko Fanongo Talanoa he Folofola'. Koe ki'i pola hamu pe na'e teuteu 'ehe famili' ke 'ilo 'ai 'a Hou'eiki.
Meihe famili Mangisi' 'ihe 1981.

Part 12: What is history ?

Konga 12: Fatunga Motu'a' ?

So I imagine sitting here with my grandchildren and they say, *tell us one thing, one reason why we should think about and care about the flying foxes in Hihifo.*

Kou nofo pe 'o fakakaukau kapau 'oku ou 'iheni mo hoku fanga ki'i mokopuna' pea nau pehe' mai, *talamai ange' ha me'a e taha, 'uhinga pe 'e taha ke tau tokanga ai ki he fanga peka 'o Hihifo'.*

And I know what to say to them. That it's important to know about the flying foxes in Hihifo because it's the history of where we grew up. It's the history of the place and the people.

Kou 'osi 'ilo'i e me'a teu talaange'. 'Oku mātu'aki mahu'inga ketau 'ilo ki he fanga peka 'i Hihifo', koe'uhi' he koe konga ia 'oe fatunga motu'a' moe anga 'etau tutupu hake ai'. Koe konga ia 'oe hisitōlia 'oe vāhenga' pea mo hono kakai'.

Sure, we can joke about how I get sick at the thought of eating peka. But these are stories about how we live with them in the village and the district. Stories about looking after our animals, our values and how we support each other and look after our land.

'Io, tau fākahua 'aki pe 'eku fehi'a 'aku he kai peka'. Ka koe talanoa eni ki he anga 'etau nofo fakataha moe fanga peka' 'i he kolo' moe vāhenga'. Ki he 'etau tauhi 'ae fanga monumanu', moe ngāhi me'a 'oku mahu'inga', 'etau fetokoni'aki' ke ma'uma'uluta ai 'etau nofo' pea mo tauhi foki hotau fonua'.

And they give us a whole new meaning and insight into ourselves.

Pea tau ako foki mei ai e ngāhi me'a lahi kia kitautolu.

Think about the story of the talatala'amoa snare and the skills of our neighbour, Uili, catching *peka* in mid flight. Not on the ground, but actually in the air, while they are flying.

Vakai ki he 'akau heu peka homau kaungā'api ko Uili', mo hono ha'i e talatala'amoa' he mui'i heu', ke heu 'aki e peka' lolotonga 'enau puna'. 'Ikai koe heu

meihe kelekele', koe heu'i lolotonga 'oku nau kei
puna' he 'ea'.

When you stop and think about that, what you see
in the story is high level technical innovation and
creativity at work. Using local materials to hand and
based on detailed observation of the peka flight
paths. And experimenting to find what works. All
this is what we've learned to call today *Science.*

'Oku talamai 'ehe fo'i talanoa' 'ae feinga moe
fakakaukau 'ae tokotaha, ha founga ke toe sai ange
ai 'ene tauhele'i e peka'. Ne ngāue 'aki 'ae me'a pe
'oku ma'u'. Siofi e anga e fepuna'aki 'ae peka' moe
fetō'aki 'ae matangi'. Pea ne 'ilo mei ai pe koe ha 'ae
me'a sai taha kene fai ke ma'u ai ha'ane peka. Koe
me'a eni 'oku tau ui koe' he 'aho ni koe *Saiānisi'.*

So amazingly I found that by telling these stories
made me look at the village and the district I grew
up in with fresh eyes.

Tōtōatu he 'oku ou sio peau toe ako e ngāhi me'a lahi
mo fo'ou tupu meihe 'eku manatu mo tohi 'ae ngāhi
talanoa koeni.

What did it mean that all the 75 or so toa trees along the boulevard, except two, were on the same side of the road? Had they been planted there? When? Why? Who had organised it?

Koe fu'u toa nai e 75 'ihe Hala Po'uliva'ati', 'oku meimei kātoa pe ha tafa'aki 'e taha tuku kehe pe fu'u toa nai e 2. Koe ha na'e tō fakapotutaha pehe'i ai' ? Kohai na'ane tō ? Tō 'anefē ? Ko e fakakaukau 'a hai?

And how old are the toa trees along the boulevard? A little bit of research online showed me that some species of ironwood trees live as long as 1200 years.

Koe ha nai hono motu'a 'oe 'ulu toa 'oe Hala Po'uliva'ati' ? Kou lau hifo he tohi 'oku pehe koe fa'ahinga toa pehe ni 'oku nau mo'ui 'o a'u ki he ta'u 1200.

But experts seemed to think that the toa trees in the Pacific are related to Australian ironwoods that only live about 70 years.

Pehe' 'ehe ni'ihi koe toa 'oe Pasifiki' koe fa'ahinga toa tatau pe moe kalasi toa 'oku 'i 'Aositelēlia' 'o tupu ki ha ta'u nai e 70 pe.

That does not add up. I am 73 this year in 2021 and the toa trees in Hihifo were already big as they are today and full of peka when I was a kid growing up in Ha'avakatolo in the 1950s. So they are much older than that, though I don't know how old.

Hei'ilo. Ko hoku tau 73 eni he ta'u ni 2021 pea 'ihe 'eku kei si'i hake 'i Ha'avakatolo he 1950 tupu', koe 'ulu toa' ia na'anau 'osi lalahi pe kinautolu 'o hange' pe koe 'aho ni', pea toe fonu pe he fanga peka'. Tatau pe moe 'ulu toa kotoa 'i Hihifo'. Koia ai 'oku nau fu'u motu'a 'aupito neongo 'oku 'ikai keu 'ilo'i pau.

I would suggest that they would have been planted at least as early as 100 years before 1950 taking us back to 1850s. The missionary John Thomas arrived at Hihifo between the villages of Kanokupolu and Ha'atafu in 1826.

Ko 'eku fakafuofua' mahalo na'e tō 'ae 'ulu toa' he ta'u nai e 100 kimu'a he 1950, 'aia koe ta'u 1850 tupu ia. Na'e tu'uta mai 'ae tangata ngāue fakamisinale ko Sione Tomasi ki Hihifo 'ihe 1826 'i he vaha'a 'o Kanokupolu mo Ha'atafu'.

My guess would be that the toa trees of the Boulevard were planted during the fifty year period between 1780 to 1830.

Ko 'eku fakafuofua' mahalo koe 'ulu toa' 'oe Hala Po'uliva'ati' na'e tō ia 'ihe vaha'a ta'u 'e 50 mei he ta'u 1780–1830.

And I think the planting would have begun with the toa trees at the Pouvalu cemetery at Kolovai and then the toa ones at Kaipongipongi in Ha'avakatolo as they look considerably older than the rest.

Pea ko 'eku tui' koe 'uluaki toa na'e tōo', na'e kamata 'ihe 'ulutoa 'i he fa'itoka ko Pouvalu' 'i Kolovai. Pea toki hoko atu ki Kaipongipongi 'i Ha'avakatolo. Koe'uhi' pe he 'oku nau tefito lalahi ange mo 'asi motu'a 'aupito mei hono toe'.

So there's a good research project for Tongan science, identifying and describing our toa trees at the Hihifo Boulevard.

Koia koe fo'i ngāue lelei eni ki ha taha saiānisi Tonga kene fakatotolo'i 'ae 'uhinga moe motu'a 'oe 'ulu toa 'oe Hala Po'uliva'ati 'o Hihifo'.

Especially considering that the leading botanist of the Pacific, W. Arthur Whistler, has suggested that the ironwood, or toa tree was possibly indigenous in Tonga.(1) When I read that I imagined my ancestors sailing through the reefs and finding these tall trees whose wood was so hard and heavy it was only suitable for war clubs and spears and canoe parts. The "sacred south" (Tongatapu), where the trees linked heaven and earth.

Kuo 'osi fokotu'u mai foki 'ehe tokotaha potonisi 'iloa 'ihe Pasifiki' ko W. Arther Whistler, mahalo koe 'ulu toa 'ihe 'otu Tonga', koe 'akau tu'ufonua ia 'e taha 'oe fonua'. (1) Kou lau pe mo manatu ki he taimi na'e folau mai ai 'etau fanga kui', mo fakahaohao mai he 'otu hakau' 'o nau 'ilo'i ai 'ae 'akau koeni koe toa. Fefeka mo mamafa, fe'unga lelei kihe fo'u pōvai, tao, moha ngāhi kongokonga kihe fo'u vaka' foki. Ko Tonga 'Eiki (Tongatapu), mohono 'akau hoko 'oe langi' pea moe fonua'.

Then there's the word Boulevard, *Po'uliva'ati*. Did it come from the French priests and nuns who lived at the Catholic Church compound at Kolovai in the mid to late 19th century, before their convent was moved away to Mu'a and some nuns sent home to France?

Pea koe fo'i lea koia koe *Po'uliva'ati*. Na'e ha'u nai eni meihe kau pātele moe kau tāupo'ou Falanisē na'a nau nofo 'i he 'api Katolika 'i Kolovai' 'ihe konga lotoloto moe kimui 'oe senituli 19, kimu'a pea nau toki hiki ki Mu'a pea fakafoki moe kau tāupo'ou 'e ni'ihi ki Falanisē?

We Tongans have been clever at adopting and incorporating names and words from other languages. This looks like one example.

Ko kitautolu Tonga' foki 'oku tau liliu fakaTonga pe ha lea muli ke hoa mo 'etau ngāhi fiema'u'. Mahalo koe taha eni 'oe ngāhi liliu koia'.

If you do your own research online about flying foxes in Tonga you will find almost all the material is written by foreigners. Travel writers feature heavily. And just like the postcards of the past, they get a lot wrong.

Kapau teke ki'i fakatotolo atu he ngaluope' fekau'aki moe fanga peka 'o Tonga', teke fakatokanga'i ai koe meimei katoa 'oe ngāhi fakamatala', 'oku tohi ia 'ehe kakai muli. Tautautefito ki he kau taki mamata'. Pea hange pe koe ngāhi kāti 'ofa 'oe kuohili', 'oku lahi 'ae ngāhi me'a 'oku fehālaaki ai'.

Another early example is Basil Thomson, an Englishman working for the British Government, who was assistant to the Prime Minister of Tonga, after Shirley Baker was dismissed. Writing about the flying foxes at Hihifo, he said that the "sudden **migration** of the flying foxes from the trees in Kolovai" was the death portent for the Ata and his family.(2)

Koe tangata Pilitānia e taha 'ihe taimi koia' ko Basil Thomson, na'e ngāue ki he Pule'anga Pilitānia' mo tokoni ki he Palēmia Tonga' hili ia hono fakahifo 'o Seli Peka'. Na'ane tohi fekau'aki moe fanga peka 'o Hihifo' pea ne pehe', "ka hiki fakafokifā 'ae tau'anga

peka' meihe 'ulu 'akau 'i Kolovai'" tokua koe
fakakite'anga ia e pekia 'ae Ata' pe koe taha mei
hono fale'. (2)

Whoever told him this was wrong, but the story
remains out there.

Koe ma'u hala eni, ka koe fo'i talanoa 'oku kei 'i heni
pe ia.

As a family we took some steps to retrieve some of
our own more recent history. My aunt, Tapani lahi's
daughter, Kalolaine Lata i Fale Fehi Taukapa he Lotu
Tapani, was known to have designed and
manufactured a *kupesi* stencil featuring the flying
foxes. She named it *The Boulevard*.

'Oku feinga 'ae fāmili' ke pukepuke mo fakatolonga
'ae ngāhi fatunga motu'a' moe hisitolia ofi mai'. Ko
hoku mehikitanga', 'ofefine 'o Tapani lahi' ko
Kalolaine Lata i Fale Fehi Taukapa he Lotu Tapani,
na'a ne hanga 'o fatu pea fo'u 'ae kupesi fakau'aki
moe tau'anga peka 'o Hihifo'. Pea ne fakahingoa ia
koe *Hala Po'uliva'ati'*.

We are still trying to recover this *kupesi* after it was misplaced for many years. That hunt continues. Siosi Tapani, Kalo's oldest daughter, remembered the kupesi and the ngatu made from it. She kindly drew the elements of the pattern and her sister Lolini worked with renown Tongan artist 'Ilaisa Lātū to recompose the elements in black and white.

'Oku kei fai pe 'ae fekumi pe 'oku tuku koa' 'ife' 'ae kupesi', ka 'oku te'eki ke 'i ai ha ola lelei. Ko Siosi Tapani', koe 'ofefine lahi ia 'o Kalolaine' pea na'a ne manatu'i lelei 'e ia 'ae fotunga 'oe kupesi' he na'e 'osi sio tonu ai. Na'e hanga 'e Siosi 'o tā 'ae ngāhi fakatātā 'oe kupesi' mei he 'ene manatu'. Hanga 'e Lolini pea moe tangata Tonga 'iloa he tā valivali ko 'Ilaisa Lātū 'o fokotu'utu'u 'ae ngāhi elementi 'oe kupesi' ki he feima'u 'a Lolini', 'i he 'uli'uli pe moe hinehina

Susana Mangisi suggested reformatting it to include the typical brown tapa colours used in Tongan ngatu.

Fakamanatu mai 'e Susana Mangisi koe ngatu Tonga' 'oku lanu palauni.

We sought permission to use *The Boulevard* designs in the *Manatu Melie* series of books, and both Siosi and Lolini were happy to oblige.

Mau fiefia he loto lelei 'a Siosi pea mo Lolini ke ngāue 'aki 'ae kupesi "Hala Po'uliva'ati'" 'ihe 'uuni tohi Manatu Melie'.

We Tongans must and need to tell our own stories, not just for the sake of accuracy, but because this is our unique culture and history.

'Oku totonu pea mahu'inga ke tohi pe 'e kitautolu Tonga' 'etau fo'i talanoa', 'o 'ikai ngata pe ke 'ai ke tonu, ka ko hotau taha'i talafakafonua' eni, moe konga hotau' hisitōlia'.

Alas! If we do not, our history, our culture, our identity will be lost.

Fakapō ! ... 'Oua mu'a na'a tau tuku hotau hisitōlia, tala fakafonua' mo hotau Tonga' ke mole.

(1) **Plants of the Canoe People,** W Arthur Whistler, National
     Tropical Garden, Hawaii, 2009, p 56.
(2) **Savage Island: An Account of a Sojourn in Nuié &**
     Tonga, Basil C. Thomson, London, 1902, p 196.

Our Team, Kau Ngāue'
Writer, Tokotaha Fa'u Tohi'

Sione Tapani Mangisi is the writer for both the English and Tongan versions of this book. He has tried to be true to each language and avoid simple word-for-word translations.

Ko Sione Tapani Mangisi koe tokotaha fa'u tohi' ia, pea na'ane tohi ia 'ihe lea fakaPilitania' pea moe lea fakaTonga' fakatou'osi. Na'ane feinga 'ihe liliu e lea' ke ma'u ma'upe 'ae 'uhinga 'oe fo'i talanoa kae 'ikai koe liliu fakafo'ilea pe.

For more details about Tapani's background, visit our website: www.puletaupublishing.com

'Eva atu he Ngaluope':
www.puletaupublishing.com ki hono fakaikiiki'.

Design Manager, Koe Tufunga'

Irene Webley is responsible for all the design and layout of the books in this series. Her skills in these areas have been helped by the applications now available, especially Canva.

Ko Irene Webley koe tufunga pule ia ki hono fokotu'utu'u 'oe ngāhi me'a kotoape fekau'aki mo hono pulusi 'oe ngāhi tohi ni. Tautautefito ki he ngāhi fiema'u meihe Ngāluope'. Ko 'ene taukei fakangāue' 'oku fu'u lelei 'aupito pea toe 'iai pe foki moe ngāhi tokoni pe 'ihe Ope' tautautefito ki he Keniva.

For more details about Irene's background, visit our website: www.puletaupublishing.com

'Eva atu he Ngāluope':
www.puletaupublishing.com ki hono fakaikiiki'.

Illustrator, Tokotaha Tā Fakatātāa'

Elizabeth Lottie Paris Mele Lopasi Mangisi Cocker is one of Tapani's four grandchildren and she lives in Melbourne. She illustrated the first two books in this series, *Marbles and Mangoes* and *Slates and Ghosts*.

Ko e taha hoku fanga makapuna' ko 'Ilisapesi Loti Pālesi Mele Lopasi Mangisi Koka. Nau toko 4, pea 'oku mau nofo vāofi pe heni 'i Melipoane. Ko ia na'ane tā e fakatātā ki he 'uluaki Tohí (MM1) *Mapu moe Mango'* pea ne toe tā pe mo e fakatātā ki he Tohi hono Ua' (MM2) ko e *Makatohi mo e Tēvolo'*.

The Covid-19 pandemic has meant the family has had to be more separated than normal. No play visits, no sharing meals, and no hugs and kisses. We have all missed each other so much even though we talk every day and Facetime.

Hanga 'ehe Koviti-19 'o veteki 'a e me'a kotoa pe 'oku ne nono'o 'a 'etau fe'ofa'aki fakafamilí. Tapu e', tapu mo e', toe tapu pe mo e'. 'Oku ou sio loto atu pe ki ha tō kelekele 'a lo'ifofonga 'i homou ngāhi mafu tefua'. Tatau pe mo kimaua neongo 'a e talanoa telefoni he taimi lahi.

The grandchildren have had fun inventing different virtual hugs as well as new ways to share birthdays and special occasions like Father's Day and Mother's Day. Nothing beats real hugs, is there ?

Feinga pe fanga makapuna he ngāhi founga kehekehe ke fakamanatua 'aki 'a e Sapate Tamai mo e Sapate Fa'e'. 'Ikai pe tatau ha me'a mo 'ete 'uma lolomi ki hoto fanga ki'i mokomuna'.

Once again in lockdown in Melbourne, Tapani and Elli weren't able to work together like they did with *Marbles and Mangoes*. So they met up at the park when restrictions were lifted a little and discussed this new book and Elli listened to audio recordings of the stories he sent to her and they discussed them together on Facetime.

Ko e fetu'utaki mo e Fefine tā fakatātāa' ('Ilisapesi) na'e talanoa'i telefoni pe mo e ngāhi founga kehe kau ai mo e fe'iloaki he pāka' kema talanoa ki he ngāhi me'a 'oku ou loto kene tāa' mo e anga 'o e fo'i talanoa MM2 ke mahino ki ai, pea 'alu leva e Fefine' 'o tā 'a e ngāhi fakatātā ko ia 'oku 'asi 'i he Tohi' koeni'.

Our Beta Reader, Tokotaha Lautohi'

We invited our cousin Mele Lolini Fifita Thompson to join our little team to help us bring this book to you. It is our latest in the *Manatu Melie* series. We were delighted that she accepted to be our Beta Reader.

Na'a mau fakaafe'i 'a homau famili ko Mele Lolini Fifita Thompson ke kau mai ki hono fa'u 'oe tohi fakamuimui taha 'oe 'uuni tohi Manatu Melie'. Mau fiefia 'i he 'ene loto lelei ke hoko koe Tokotaha Lautohi'.

Lolini grew up in both Kolovai and Ha'avakatolo at Hihifo, Tongatapu. She attended the local government primary school in Kolovai, before continuing to Queen Salote College then 'Atenisi University. After she left school she worked in the Tongan Public Service for some years before marrying Mark Thompson and moving to Auckland, Aotearoa, where she studied further at the Auckland University of Technology where she received her NZQA certificates in Mental Health care. She worked for many years in the Auckland Community with people who experienced mental health challenges. Her passion was working alongside vulnerable clients to support them create a meaningful life and involvement in society. She and Mark raised four children and they are proud grandparents to 7 little ones living in Australia and some in Aotearoa.

Na'e tupu hake 'a Lolini 'i Kolovai mo Ha'avakatolo 'i Hihifo, Tongatapu. Na'a ne kamata ako 'i he Lautohi Pule'anga 'a Kolovai' pea ne hoko atu ai ki he Kolisi Kuini Salote' moe 'Univesiti Atenisi' 'i Nuku'alofa. Hili ia' na'a ne ngāue fakaPule'anga 'i Tonga 'i ha ngāhi ta'u. Na'e ne fe'iloaki ai mo Mark

Thompson pea ne hoko ko hono husepāniti pea na hiki fonua ki 'Aokalani, Aotearoa. Na'e toe hoko atu 'ene ako' he AUT 'o ma'u ai 'ene fakamo'oni ako NZQA ki he mo'ui faka'atamai' pea ne ngāue ki hono faka'ai'ai mo foaki fale'i kihe kakai 'oku uesia faka'atamaí 'enau mo'ui, kenau lava 'o fakahoko 'enau ngāhi fiema'u kehekehe mo malava foki kenau nofo fiefia 'i he sōsaietí. 'Oku 'i ai 'ena fānau e toko fā pea moe fanga makapuna e toko 7, koe fa'ahinga 'oku 'i 'Aositelēlia moe ni'ihi 'i 'Aotearoa pe.

Lolini is a custodian of her mother's kupesi, *Hala Po'uliva'ati'*, and has kindly allowed us to use it as necessary for the *Manatu Melie* series of books.

Ko Lolini koe taha ia 'oe kau tauhi 'oe kupesi 'a 'ene fine'eiki', koe *Hala Po'uliva'ati'*, pea na'a ne anga lelei ke fakakau 'ae kupesi' ihe 'uuni tohi *Manatu Melie'*.

Other Publications

Ngāhi Tohi kuo 'osi Pulusi

Sione Tapani Mangisi has also published two versions of **Manatu Melie 1,** and a dual language edition of **Manatu Melie 2.**

1. Marbles and Mangoes/Mapu moe Mango (2020). English/Tongan version.

2. Mapu moe Mango (2020). Tongan version.

3. Slates and Ghosts/Makatohi mo e Tēvolo (2020). English/Tongan version.

Kuo 'osi pulusi 'e Sione Tapani Mangisi 'ae **Manatu Melie 1 moe Manatu Melie 2** 'ihe lea fakaPilitānia' pea moe lea fakaTonga'.

1. Marbles and Mangoes/Mapu moe Mango (2020). Lea fakaPilitania/fakaTonga

2. Mapu moe Mango (2020). Lea fakaTonga' pe.

3. Slates and Ghosts/Makatohi moe Tēvolo (2020). Lea fakaPilitānia/lea fakaTonga.

Contact Us, Fetu'utaki Mai

Website: www.puletaupublishing.com

Email: puletaupublishing@gmail.com

Facebook: Puletau Publishing